はじめに

この本は芸術・デザインに関わるひとのために、日常あるいは創造活動において、現代「情報科学」がどのような意味を持つのかを考えてもらうために作りました。コンピュータとヒトの頭脳のはたらきの違いに焦点を絞り、できるだけ薄い本になるよう心掛けました。以下の文脈で構成されています。

文中の太字は目次に対応していますので、この文章にいつもかえっていただきながら本文を読み進めてもらえば、全体の中での位置づけが分かりやすくなると思います。
前半はコンピュータのしくみに、後半はひとの知能を創ろうとする科学者の挑戦に力点があり、これらを軸に全体が位置づけられています。

ひとは太古から**ことば**で伝え合って、**尺度**で知り、**時間**を共有してきました。

コンピュータは**情報を伝搬**する道具であり、**数**であらゆるものを取り込み、**情報変換**をビット列演算して行います。またひとが行う**推論**も演算で行っています。

さらにコンピュータは**オートマトン**だからいろいろな仕事をこなせるし、プログラムに沿って**機械語**で命令します。

コンピュータの**感覚**をデジタル化で実現し、数理**モデル**で現実世界をシミュレーションし、**ネットワーク**が世界をつなぎ、**経済**を先取りしてきました。

ひとを中心に**ハイパーテキスト**がことばの意味をつないでいる、そして**制御工学**が気づかせてくれたのは、**ヒューマンインタフェース**をデザインし、**認知科学**で考えることが大切だということです。

ひとの知能は論理か生命かという議論のもと、**機械情報**は強力な規範化権力のもとで有効となりますが、**記号論理学**はひとの心をつくれるか、という一点に集中してきました。**情報の定義**は生物にとって「パターンを生むパターン」と言い換えることができます、**生命活動**の根源にはアフォーダンス、散逸構造、オートポイエーシスといった理論があり、**動物**も意識を持ち、学習し、コミュニケーションを行っています。情報は生命のためにあるのです。ところが、ここへきて**深層学習**が人工知能を前へ進めようとしています。

人類の前にはおぼろげな未来が待ち受けているように思えます。現在技術としての**人工知能**の射程とシンギュラリティは常にセットで語られ、これに対して近年急激に発達した**生物工学**は生命を創りかえるのかという勢いです。**VR**はアフォーダンスと芸術に衝撃を与えようとしています。

情報科学　目次

ひとは太古から　**ことば**　で伝え合ってきた

文字のない時代から、ひとびとは話し言葉で伝え合ってきました。知識と経験を積んだ族長の声は、人々のルールと目標を示す威厳にみちたものだったにちがいありません。声は発せられたときから、すぐに消えていきます。聞いた人々には印象と不確かな記憶を残しながらも、これを正確に再現することは難しかったのです。

経験による大切な知識は人から人へ語り継がれていきましたが、その間に少しづつ変化してしまうことは想像に難くありません。

文字の誕生によって、人々の知恵は保存、蓄積できる知識へとかわりました。幾世代もにわたって知恵が情報となって書き貯められ、また書き改められもしていったのです。

文字はひとが経験したことを直線的につなげて述べます。文字によって構成される文章によってできごとは正確に表現できるようになりましたが、縦・横・奥行きの広がりや、空気感、光や香りなどその場の生き生きとした雰囲気は失われました。ただし絵はこれに代わるものとして豊かで直感的なものを残すことに寄与しつづけたのです。

さらに 15 世紀グーテンベルクによって活版印刷が発明されると、情報は印刷物として広く人々に行きわたりはじめました。聖書をはじめ、生活や社会で必要な知識を他の人と共有することができるようになったのです。

しかしこのことは知識が社会性を獲得する反面、文字の時代に芽生えた一方向性、画一性を社会にまでも広げることをもたらしたわけです。

20 世紀に入り、ラジオやテレビの普及によって音声・文字・映像情報が世界をつなぐこととなります。またインターネットと PC によって個人が多数の人々へ向けて双方向の情報を発信できるようになりました。

形の上では世界中の人々が互いの声を聴け、画像や情報でも情報の双方向伝達が可能になり、こういった情報を世界中の人が生き生きと、現在形で共有できる時代となったのです。

このことは今日に至るまで、新たな人々の組織的活動や、時には国家の樹立にも寄与してきた経緯があります。

ひとは太古から　**ことば**　で伝え合ってきた

こうした、ことばの歴史は人々がことばを伝えるための容れもの、すなわちメディアをひとつひとつ新たに獲得し、伝える方法を広げてきた歴史であり、情報の伝わる世界を広げてきた歴史でもあります。またこれはひとつの考え方を共有するひとの数が増えてきた歴史でもあります。これが特定の考え方に基きかつ一方向に行われることによって、人々には同じ考え方が共有され、ものごとの生産性が上がるということもあるでしょうし、個人の考え方において自由のない世界になっていくということもあったわけです。

芸術は個人が創造的に行うことですから、もともとこうした考え方の画一化、均一化とは相容れません。近代とはこうした個人の「バラつき」を排除して、人々の間にまとまった価値を共有させ、意識統一を図り、人々の労働力を一方向へ向かうものとしてまとめ、生産性を高めることによって、コストを下げ、利潤を高めることによって雇用を創出する、一連のシステムとしての社会を指しています。

こうした力がモノづくりに向かう場合は企業の成長につながり、社会組織の在り方に向かう場合は地域や国家をつくり統一する方向へ向かいます。そこにはさまざまな広告やプロパガンダ手法が開発されてきました。

現代ではこうした供給者側だけの考えで物事を進めるのではなく、受け手からも情報を返し、発信することによって、より良いサービスやシステムの共有が可能であるという認識も広がってきています。

また一つの情報の流れをとってみても、個別・分散的な処理から、統合的・目的的なものへの変質が見られます。社会学者マクルーハンはこうした時代を予見し前者を外部爆発、後者を内部爆発と呼び、生産者主体の社会から生活者主導の世界への変革・啓蒙ともとれる理論を説いています。

わたしたちは科学躍進の現代にあって、あたらしい情報技術に盲従するのではなく、互いが意志を疎通させる社会のひとりとして、情報のより良いかたちとは何かを求め、選択し、日々の情報活動に変えていかなければなりません。

ひとは太古から　**尺度と世界観**　を新たにしてきた

古代ギリシャの時代から世界は丸いと考えられてきました。ヘレニズム時代の数学者エラトステネスはエジプトのアレキサンドリアから北回帰線上の町シエネまでの歩測による距離 5000 スタディアという情報と、夏至の正午、アレクサンドリアの太陽の位置（角度）の実測値から地球の子午線の長さを約 40000 キロと推定しました。

時は下ってフランス 18 世紀末、ラボアジェ、ラグランジュらによって子午線の長さの測定値から、長さの国際単位「メートル」が定められました。このときパリの 14 の街角には「メートル原器」が設置されました。この 1 メートルの 4 千万倍が地球一周の長さとして再確認されたのです。

さらに時代は下って、 地球は回転軸方向に扁平なかたちをしており、赤道の半径は 6378136.6m であることが知られています。光速と地球を周回する衛星の位置から現在位置を知る「GPS 全地球測位システム」によって測定位置を数メートルの誤差で知ることができるようになりました。

科学的な尺度の精度がひとの世界観と自由度を決定づけてきたのだ、といえるかもしれません。

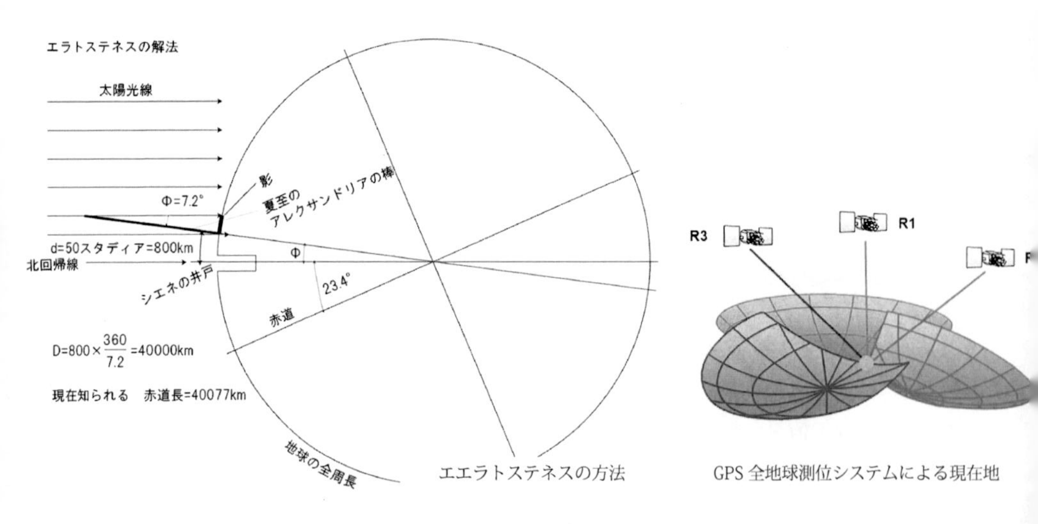

エエラトステネスの方法

GPS 全地球測位システムによる現在地

ひとは太古から **尺度と世界観** を新たにしてきた

火は古代に実現していた光通信といえるでしょう。約50万年前の北京原人には、脳髄の研究から火を制御したと思われる中枢機能の発達が確認されています。コミュニケーションのために火が利用され始めるのは、紀元前500年頃、ペルシャにおける松明（たいまつ）による通信からです。

「テレグラフ」は電信ができるまでは、テレ（遠隔の）グラフ（描画）＝手旗信号を意味していました。この強力な通信手段は赤と白の手旗を持つ角度でアルファベットを送受できます。また、1793年フランスで発明された腕木通信「セマホア」はパリ - リール間230キロを2分で結びました。

人間はシンボルを操る動物といわれます。紀元前3500年ごろバビロニアで沖積土を固めた粘土板に楔形文字を刻みこんだのが記録される文字の最初です。家畜、収穫物に関する契約、裁判記録に国王の碑文、格言、寓話など今日の文書に該当するものほぼすべてが既に存在していました。シンボルは王権と軍事力によって操作されたのです。

西暦105年、漢の蔡倫によって発明された紙は610年高麗より日本に伝わっています。ところがエジプトのパピルスよりすぐれた性能を持つ紙の製紙法は秘密のまま数世紀が経過し、751年サマルカンドからバグダッド、ダマスカス、モロッコへと伝わり、ピレネー山中にキリスト教世界で最初の製紙工場ができたのは1189年のことでした。

グーテンベルクによってドイツのマインツで最初の「四十二行聖書」が印刷されました。この結果筆者に代わって一般へ活版印刷物が流布し、このことがきっかけの一つとなり、宗教革命につながっていきます。

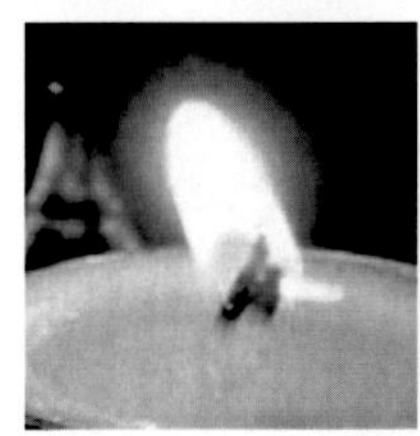

火は信号として使われた

セマホア（腕木通信）
Wikimedia Author:Lokilech

バビロニアの楔形文字
British Museum, London.

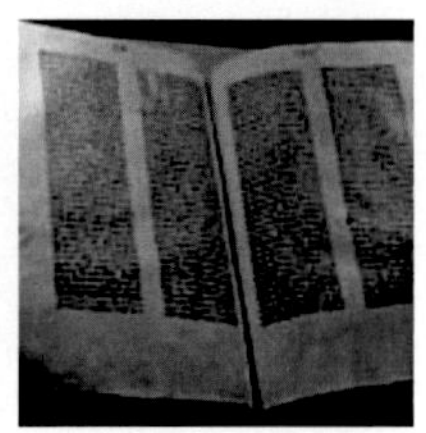

四十二行聖書
US Library of Congress

ひとは太古から　**時間** を共有してきた

太陽暦は太陽の周りを公転する地球の周期を元に作った暦です。私たちの日頃の大雑把な理解では、大の月が 7 ヶ月、小の月が 5 ヶ月、月の満ち欠けは 1 ヶ月が周期ということです。が、もう少し厳密に言えば小の月には 30 日が 4 月と 28 日が 1 月、それも 4 年に一度は 29 日となる、ということでしょう。月の公転はニュートンの万有引力の法則に基づくもので、「ムラ」はありません。そうすると一月に月の満ち欠けが 1 セットという考え方はアバウトすぎるということになります。

太陰暦は月の地球に対する公転を基準に暦を作ったもの。1 太陰年は、29.530589 日 ×12 = 354.36707 日です。1 月（ひとつき）が 29 日の月（小の月）と、30 日の月（大の月）をそれぞれ 6 回ずつ設け、1 太陰年を 354 日とすると、1 年につき 0.36707 日の誤差が出るので、3 年に 1 回程度、小の月の日数を 1 日増やして 1 太陰年を 355 日とする必要があります。太陰太陽暦では、この 1 太陰年が 355 日となる年が閏年。一方、1 太陰年は 1 太陽年 (365.242189 日) に比べて約 11 日短く、季節に対して 3 年で 1 月以上の誤差が出ます。太陰太陽暦では閏月を設けてこれを調整し、閏月を設けた年が閏年と呼ばれます。

ただし現在もイスラムでは純正の太陰暦を使っています。すなわち一年は 29.5 日 × 12 ヶ月＝354 日（正確には 29.530589 日 ×12 = 354.36707 日)、グレゴリオ暦とは 11 日間の開きがあります。そして一年間にこれだけの日数、年数が速く数えられていくのです。四季は温帯地方の自然現象ですが、日にちはこの季節を測ることはできません。また雨季・寒気や夏至・冬至といった一年を基準とする周期性を代表することはできなくなるのです。すなわち、イスラム諸国には自然の 1 年周期という考え方そのものがないのです。中近東に四季の変化というものはほとんどありませんから、そのことは「あまり気にならない」ということはいえそうです。

ただしエジプトでは太陰暦で過ごしていると大変なことになります。ナイル川の洪水に突然見舞われてしまうからです。洪水から洪水までを一年と考え、紀元前 4000 年にはもう太陽暦が使われるようになっていました。

このように農耕、自然災害への対応で、自然の周期を大切にする国民は特別な理由のある場合を除き太陽暦を、こういうケアの不要な国では太陰暦を用いたのでした。

ひとは太古から　**時間**　を共有してきた

現在使われているグレゴリオ暦は 1583 年からはじまったのですが、それまで使われていた太陽暦はユリウス暦で、ジュリアスシーザーが制定しました。シーザーは七月を July と改名し、次の皇帝アウグスツスは 8 月を August と改名しました。この暦ではもともと一年が 3 月から始まって、Janus（物事の始まりを司る神）、Februus（死と清めの神）Mars（軍神）、Aphrodite（美の女神）、Maia（豊穣の神）、Juno（結婚の神）と、神々の名がつけられていたので、九月が「七の月 =September」で十月が「八の月 =October」という名になっています。十一月になってやっと「九の月 =November」で、十二月は「十の月 =December」となります。

文化を尊重するということは、その文化のシステムを存続させることになります。「ある社会集団が時間をどう区切るかは、国境線をどう区切るかと本質的には同じことだと思います。社会集団ごとに自分たちの固有のやり方がある。その区切りは尊重しなければいけないと思います」（内田樹：産経 WEST「ニュースを疑え」2019.3.27 より）

今ではイスラム諸国を除く世界中の国々がグレゴリオ暦を使用しています。コミュニケーションは、いつ・誰が・どのように・何を・誰に対して・どうした、という補語が満たされないと、意味が完全ではありません。このうち「何時何分何秒」にあたる時刻が合わない以上、現代では正確な意味でのコミュニケーションは難しいのです。

一日の時刻はグリニッジ標準時 (GMT) をもとに、地球の経度に応じた各国が標準時を、その後協定世界時（UTC：Coordinated Universal Time）という国際原子時 に由来する原子時系の時刻が定められました。このことが現代では鉄道・航空機など遠距離交通の一括時刻管理や国際契約における合理性などメリットを生み出すこととなりました。

ジュリアス・シーザー
sites.google.com/site/librariumdatabase/

アウグストゥス
anu.edu.au/

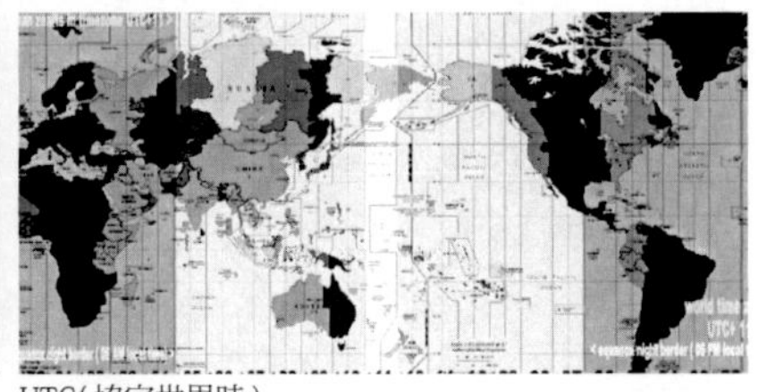

UTC(協定世界時)
alien-homepage.de/　Photo: the world time zone pages

コンピュータは　**情報を伝搬**　する道具

伝言ゲームの一こま

左は小学生の伝言ゲームの１シーンです。いちばん左の子供がその隣の子供になにやら語りかけています。聞いている方は一生懸命その言葉を理解し覚えこもうとしている表情。その右の白い服の少年はこの少年からの伝言待ちですが、そのさらに右の少年の肩のあたりに触れ、「ちょっと待機。」その前の少女も同様に待機中ですが、何やら先の方を見つめ、ほかのことに気を取られている様子です。

情報はどこからともなくやって来ることに特徴があります。そして（人という）システムに入力した情報はその先へと出力して次々に伝達されていくのです。この「伝達」ということが情報の大きな特徴です。そして伝えられた情報はシステムの内部で「変換」され、理解されます。そして理解されて再構成された情報が次へと伝わっていきます。伝言ゲームでは往々にして言葉の取り違えが発生します。これは受け取った人が元の情報とは違う理解をしてしまったためであり、その先へはよほどの偶然でも重ならない限り元に戻ることはありません。この不可逆性というものも情報の特徴です。

この伝言ゲーム、タイムリミットが来てしまったらどうなるでしょうか？気の利いた子ならメモに書き留めて続きを明日の休み時間につなげるかもしれません。これは情報の大切な働き、「記録」です。

これを描いたたものが下図「情報過程」です。

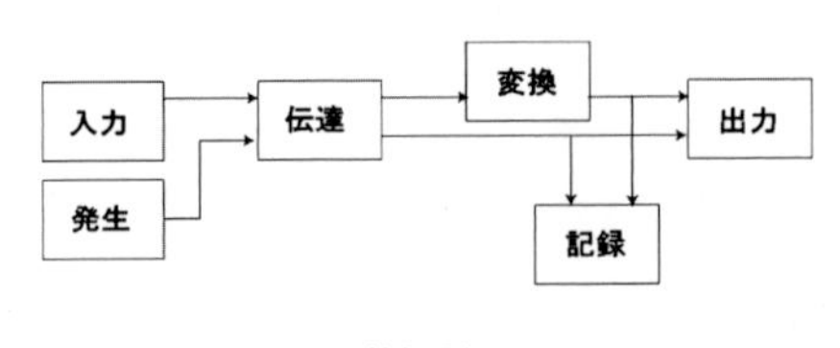

情報過程

情報の過程には、発生（または入力）、伝達、変換、記録、出力がある。
実際にはこれらが、複雑に組み合わされて構成される。

情報とは何か？と問われたら、入力し、伝達され、時には変換、記録され出力するものといって間違いありません。情報の定義は、どれも難しく簡単には理解できませんが、働きに着目したこの言葉は一見逃げているようで、深いところを突いています。

コンピュータは　**情報を伝搬**　する道具

　ではこの情報は現代ではどのように伝えられているでしょうか？伝言ゲームの伝言ミスのような現象は日常においてよく遭遇する事件であり、珍しくもありませんが、これがモノの生産現場、教育現場などで起こってしまうと問題で、致命的な事故につながらないとも限りません。

　ですから、情報を伝達する体系（システム）では伝達ミスがないようにその方法を考えてあります。それがパルスあるいはビットと呼ばれる手法です。

　パルスは電気信号です。これを文字で表現した「ビット」は binary digit を短くした造語ですが、情報の量や速度を数えるのに非常に便利な考え方です。

　情報には変換があると申しました。コンピュータ内部ではこれはビットの変換として実行されています。０を１に、または１を０にという具合です。ただし「１を１に」や「０を０に」などのように全く変換しないこともあります。これらを組み合わせた図の a,b,c,d が代表的なビットの変換です。元の文字を全く変えないものも変換の一種とし、恒等変換という名が付いています。

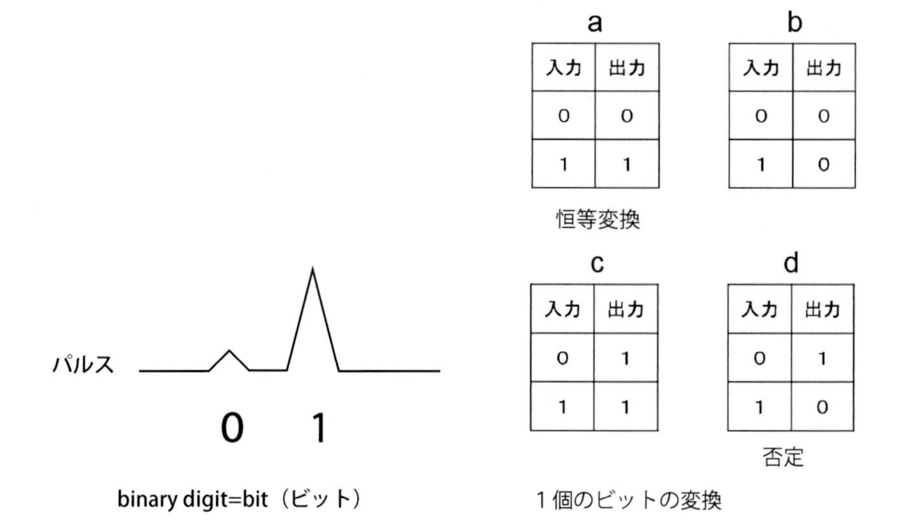

binary digit=bit（ビット）

a

入力	出力
0	0
1	1

恒等変換

b

入力	出力
0	0
1	0

c

入力	出力
0	1
1	1

d

入力	出力
0	1
1	0

否定

１個のビットの変換

コンピュータは　**数** であらゆるものを取り込む

ビットを幾つか並べたものをビット列といい、その長さを桁数といいます。一定の桁数のビット列の種類は限られており、二桁なら 4 種類、3 桁なら 8 種類しかありません。これが 4 桁となると 16 種類になります。これは 2 進法によって数を表記することにほかなりません。表を参照してください。

現実の数 192 はコンピュータ内では 11000000 のように二進表記されている訳です。

私たちは人と話をする際に自然に数字を交えてコミュニケーションしています。しかし数字と文字とは本来別世界の表記方法です。「二つのリンゴ」や「リンゴが 500 グラム」のように、数字はものの個数を示したり、量を表わすことがほとんどで、主語、すなわち主役に躍り出ることはまずありません。ですからコンピュータでこの脇役の数字だけを取り扱えても、あまり便利になるとは思えません。電卓だけで生活をしてくださいと言われたら本当に窮屈な世界が待っているようにも思えますよね。

十進表記	二進表記
0	0
1	1
2	10
3	11

十進表記	二進表記
0	0
1	1
2	10
3	11
4	100
5	101
6	110
7	111

十進表記	二進表記
0	0
1	1
2	10
3	11
4	100
5	101
6	110
7	111
8	1000
9	1001
10	1010
11	1011
12	1100
13	1101
14	1110
15	1111

二進法と十進法

□□□

2|192
2|96…0
2|48…0
2|24…0
2|12…0
2|6…0
2|3…0
2|1…1
0…1

よって $192_{10} = 11000000_{2}$ である。

十進法から二進法への変換方法

正の整数 m を十進法から二進法に変換するのは次のようにする。

1.m を x に代入する。
2.x を 2 で割って、余りを求める。
3.x/2 の商を x に代入する。
4.x = 0 であれば終了。
5.2. に戻る。

余りを求めた順の逆に並べると、それが二進法に変換された結果になる。

コンピュータは　**数** **でありとあらゆるものを取り込む**

しかし現実にはコンピュータ内部ではビット列として取り込まれた文字が活躍しています。コンピュータでは文章で使われる文字も取り扱っており、この文字も二進表記されているのです。いまあなたが読んでいるこの文章も、ワープロソフトで書かれる時に一旦ビット列としてコンピュータに取り込まれたものを並べ、人間が文章として取り出して印刷したりしているのですが、コンピュータ内部で鉛筆や猫そのものが活躍している訳ではありません。それらはコンピュータの中ではデータ化された名前としてだけ存在しているのです。

あらゆるものの名前も、またその他の品詞も 2 進法で表現できるので 2 進法でコンピュータに取り込んで処理できます。ASCII というルールではアルファベット文字と数との関係が決められています。同様に日本語の文字も JIS によってコンピュータの内部の数との関係が決められているのです。

後で述べますが、驚くことに音や画像・映像も AD 変換でビットに変換できるのです。

10進	16進	ASCII	10進	16進	ASCII	10進	16進	ASCII	10進	16進	ASCII
0	0	NULL	32	20	SP	64	40	@	96	60	`
1	1	SOH	33	21	!	65	41	A	97	61	a
2	2	STX	34	22	"	66	42	B	98	62	b
3	3	ETX	35	23	#	67	43	C	99	63	c
4	4	EOT	36	24	$	68	44	D	100	64	d
5	5	ENG	37	25	%	69	45	E	101	65	e
6	6	ACK	38	26	&	70	46	F	102	66	f
7	7	BEL	39	27	'	71	47	G	103	67	g
8	8	BS	40	28	(	72	48	H	104	68	h
9	9	HT	41	29	)	73	49	I	105	69	i
10	A	LF	42	2A	*	74	4A	J	106	6A	j
11	B	VT	43	2B	+	75	4B	K	107	6B	k
12	C	FF	44	2C	,	76	4C	L	108	6C	l
13	D	CR	45	2D	-	77	4D	M	109	6D	m
14	E	SO	46	2E	.	78	4E	N	110	6E	n
15	F	SI	47	2F	/	79	4F	O	111	6F	o
16	10	DLE	48	30	0	80	50	P	112	70	p
17	11	DC1	49	31	1	81	51	Q	113	71	q
18	12	DC2	50	32	2	82	52	R	114	72	r
19	13	DC3	51	33	3	83	53	S	115	73	s
20	14	DC4	52	34	4	84	54	T	116	74	t
21	15	NAK	53	35	5	85	55	U	117	75	u
22	16	SYN	54	36	6	86	56	V	118	76	v
23	17	ETB	55	37	7	87	57	W	119	77	w
24	18	CAN	56	38	8	88	58	X	120	78	x
25	19	EM	57	39	9	89	59	Y	121	79	y
26	1A	SUB	58	3A	:	90	5A	Z	122	7A	z
27	1B	ESC	59	3B	;	91	5B	[	123	7B	{
28	1C	FS	60	3C	<	92	5C	¥	124	7C	|
29	1D	GS	61	3D	=	93	5D	]	125	7D	}
30	1E	RS	62	3E	>	94	5E	^	126	7E	~
31	1F	US	63	3F	?	95	5F	_	127	7F	DEL

アスキーコード表

※赤は制御文字（印字されない）
※SP(0x20) は半角ブランク
※'¥'(0x5C) は機種によって '＼' バックスラッシュで印字される

※ASCII= 英 : American Standard Code for Information Interchange

コンピュータは　**情報変換**　をビット列変換して行う

1個のビットの変換の仕方

ビットは1か0かのいずれかです。従ってその変換は簡単で、0が何に変わり、1が何に変わるのかを見ればよいはずです。表には0または1ビットの入力に対して変換後のビットが出力として示されています。たとえばdでは0に対して1が、また1に対して0が出力しています。この変換には否定という名が付いています。

aは入力したものがそのまま出ていくので、これを恒等変換と呼び、変換の中に含めて扱います。数に1をかけても変わらないがやはり1を掛けることに似ています。

入力	出力
0	0
1	1

a　恒等変換

入力	出力
0	0
1	0

b

入力	出力
0	1
1	1

c

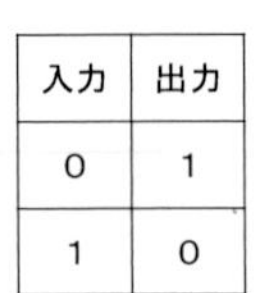

入力	出力
0	1
1	0

d　否定変換

2個のビットの変換の仕方

ビットが2個入力し、その結果、0か1かのビットが出力する変換。

入力する2個のビット列の組み合わせは、全部で00，01，10，11の4組。

このそれぞれの組に対して0あるいは1が出力する。4組の出力の一例。

この変換にはＮＡＮＤという名が付いています。表bやcもそれぞれaと異なる変換であって、bには論理積あるいはＡＮＤの名称が、またcには論理和あるいはＯＲの名称が付いています。

※これらのうち、アンダーラインを付した変換は次ページ「スイッチ」に対応しています。

入力	出力
0 0	1
0 1	1
1 0	1
1 1	0

a　NAND

入力	出力
0 0	0
0 1	0
1 0	0
1 1	1

b　論理積 (AND)

入力	出力
0 0	0
0 1	1
1 0	1
1 1	1

c　論理和 (OR)

コンピュータは　**情報変換**　をビット列変換して行う

こうした変換は現実のスイッチで物理的に実現することができます。

下記は１つのビットの否定変換（a)
２つのビットの論理積変換（b)、
２つのビットの論理和変換（c)
を実現する回路を簡単に描いたものです。
a の X 電源だけは入って (ON) いる状態ですが、b,c の XYZ は切れている状態です。
コイルは電磁石で、いずれの回路でも電源 ON で近傍のスイッチを引き寄せます。

(a) では x に電流が流れて、電磁石が働いている時だけ、z のスイッチが引き寄せられ z への電流が切れます。
(b) では x と y の両方に電流が流れ、電磁石が働いている時だけ、z のスイッチが両方引き寄せられ z に電流が流れます。
(c) ではすくなくとも x か y のどちらか一方に電流が流れて電磁石が働いている時だけ z に電流が流れます。

この変換スイッチを略図（記号）にしたものが下に掲げる論理回路図です。

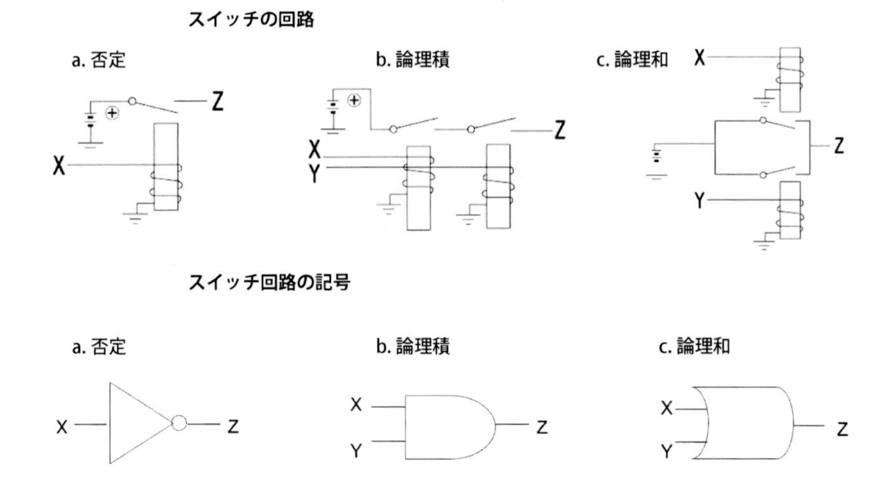

コンピュータは　**推論**　も演算で行う

ビットが２個入力し、それを１個のビットへ対応させる変換では、出力の仕方が全部で何通りあるでしょうか。00 が入力したとき出力は０の時も１のときもあるでしょうから、場合が二つあります。同じようにして01が入力した場合にも場合が二つあるので、00 と 01 の入力に対しては出力の仕方が 2×2 の 4 通りあります。このようにして他の二つの入力に対する出力の倍の数を求めていけば、その数は 2×2×2×2 の 16 通りとなります。こうして求められる 16 個全ての変換を表すものが下記の表です。

このように全ての入力の場合に対応する出力を表にしたものを**真理値表**といいます。

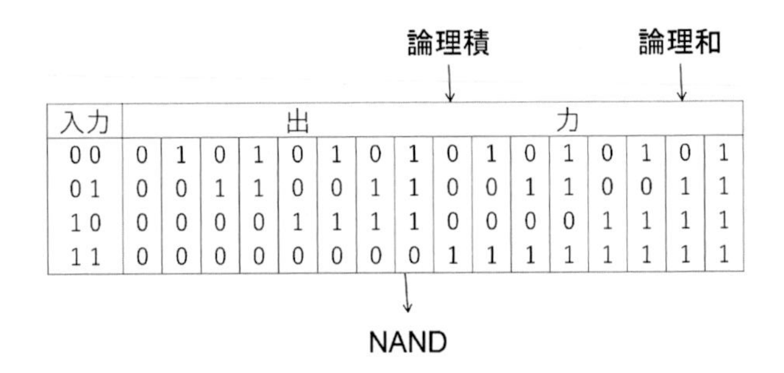

入力	出															力
0 0	0	1	0	1	0	1	0	1	0	1	0	1	0	1	0	1
0 1	0	0	1	1	0	0	1	1	0	0	1	1	0	0	1	1
1 0	0	0	0	0	1	1	1	1	0	0	0	0	1	1	1	1
1 1	0	0	0	0	0	0	0	0	1	1	1	1	1	1	1	1

複数の命題とその真偽から合成命題の真偽を推論する場合を考えてみましょう。

命題 A 「あの人は勉強家である」
命題 B 「あの人は記憶力が良い」
命題 C 「あの人は勉強家であってかつあの人は記憶力が良い」
命題 D 「少なくともあの人は勉強家であるか記憶力が良いかのどちらかである」

	あの人の状態		命題の真偽			
場合	勉強家か	記憶が良いか	A	B	C	D
1	でない	よくない	偽	偽	偽	偽
2	でない	よい	偽	真	偽	真
3	である	よくない	真	偽	偽	真
4	である	よい	真	真	真	真

コンピュータは　**推論**　も演算で行う

ここで表を書き換え、偽を０に真を１に、また「でない」と「よくない」を０に、最後に「である」と「よい」を１にします。その結果が上表であるが、ＣとＤの列は見事に先の表のＣとＤにそれぞれ一致しています。

個々の命題の真偽に基づく合成命題ＣとＤの真偽は、個々の命題の真偽を２個のビットで表したとき、その論理積と論理和の出力値で与えられます。まさにこれは論理積と論理和の正しい結果を表わしています。

状態	A	B	C	D
00	0	0	0	0
01	0	1	0	1
10	1	0	0	1
11	1	1	1	1

ここまでの話の中で大切なことは、コンピュータの行うことの本質は「論理」であること。そしてそれ以上でも以下でもありません。

ブレーズ・パスカル（Blaise Pascal、1623- 1662）は、フランスの数学者、物理学者、哲学者、思想家、宗教家。早熟の天才で、その才能は多方面に及びます。「人間は考える葦である」という『パンセ』の中の言葉によって広く知られています。

パスカルが 1645 年に発明した、世界で２番目の歯車式計算機は Pascaline または Arithmetique と呼ばれています。ちなみに世界初の歯車式計算機を発明したのはウィルヘルム・シッカード（1623 年）です。

歯車式計算機 (Scientific instruments at the Musée des Arts et Métiers)

B. パスカル

https://philosophy.hix05.com/Pascal/

さらにコンピュータは **オートマトン** だからいろいろな仕事をこなせる

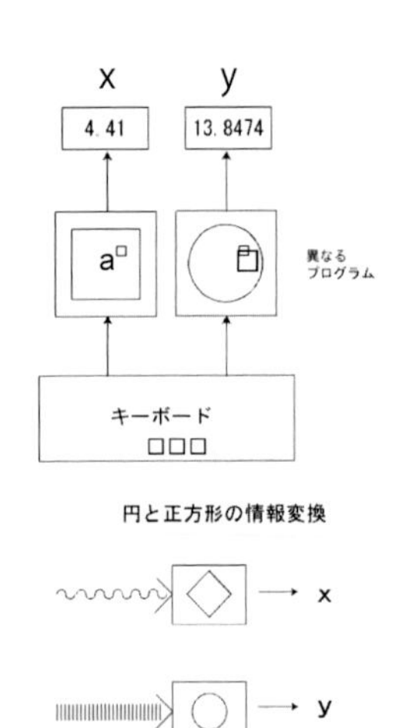

パソコンを用いると、正方形や円の面積を求めることができます。そのためには正方形の一辺の長さや円の半径をパソコンに入力しなければなりません。

パソコンに同一のデータを入力しても、出力が異なる。→あらかじめ記憶させて置いたプログラムが異なるからです。

データを入力するのと前後してパソコンにはプログラムが予め記憶させてあります。異なるプログラムを記憶したパソコンはその内部状態が異なります。出力は入力と内部状態との両方で決まるのです。

ビット列変換システムと全く異なり、図のように、出力が入力と内部状態の両方で決まる情報変換形をオートマトン (Auto Matter) といいます。

それでは動物の情報処理はビット列変換でしょうか？オートマトンでしょうか？

遺伝過程は 4 種類の塩基の並びが 20 種類のアミノ酸の並びに変換される。内部状態に相当するもののない、単純なビット列変換です。

これに対し、脳髄はオートマトンの機能を持ちます。極めて原始的なホヤの類の脳システムにおいても、過去に受けた刺激の記録が残っていて、生物の個体は、外界から受ける刺激と過去の記録との双方によって外界に対して反応します。

生物は 30 億年以上の進化を重ねてようやくホヤ（海鞘＝ホヤ綱 に属する動物）の類の誕生とともにオートマトンとしての情報変換を行い始めました。

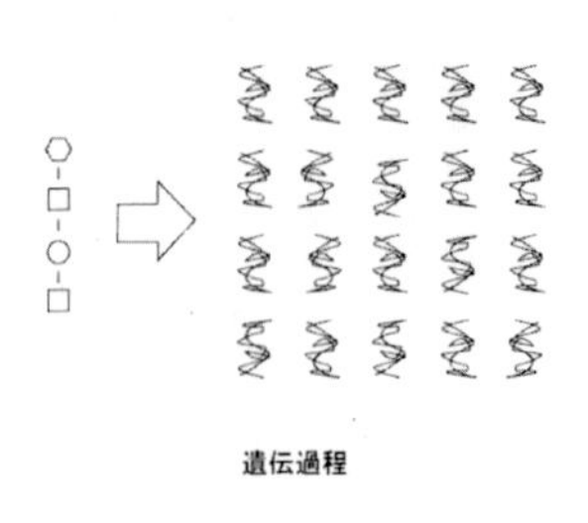

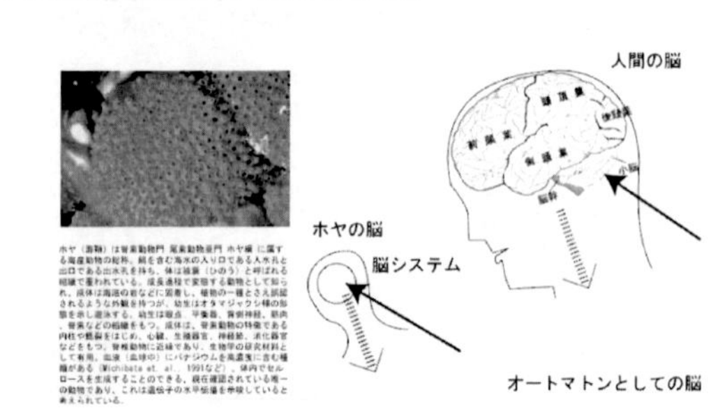

さらにコンピュータは　**機械語**　で命令する

コンピュータを用いると種々さまざまの仕事を行う事が出来ます。たとえば、多くの記録の中から必要な情報を取り出す検索、統計図表の作成に用いるデータや作成した分野原稿の習性から、いくつかの画像を組み合わせて図表を作る、など様々なものがあります。

一方コンピュータには、四則演算（＋－×÷）をはじめ、様々なビット列変換の装置、すなわち論理回路が備え付けられています。しかしコンピュータを用いて行っている上の仕事と個々の論理回路の種類との間には相当な距離があります。一つ一つの論理回路の機能は比較的単純です。従って問題は多数の論理回路のビット列変換をどのように有機的に働かせて、コンピュータの仕事に必要な情報変換を行わせるかという事です。

コンピュータの中にはこの種の単純なビット列変換を行う論理回路が、100 から 200 くらい備え付けられています。その中には四則演算のほかにも、2 個の 2 進数を比較し、その大小によって 0 または 1 のビットを出力するものもあれば、データの記録場所からデータを取り出してきて、しかるべき場所に移すものなど、多くの種類の論理回路があります。

コンピュータの中に備え付けられた論理回路の中には、全部名前がついています。その名前はビット列であり、この名前のことを機械語と呼んでいます。

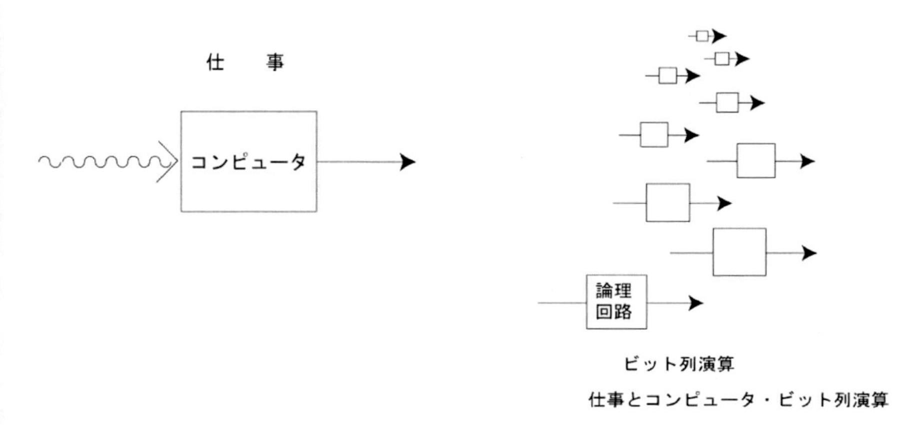

仕事とコンピュータ・ビット列演算

さらにコンピュータは **機械語** で命令する

私たちの日常生活や科学研究に必要な情報変換など、多種多様の情報変換は、いずれも比較的簡単な情報変換を組み合わせて行う事が出来ます。
最低限度何種類必要かといえば、それは高々３種類です。
（しかしこれでこの世で考えられるすべての情報変換を行う事はできません。）

実際上必要な情報変換を３種類の情報変換の組み合わせで全て行うのは、極めて煩雑なことです。そこで実用上便利な論理回路を 100 から 200 程度工夫し、この論理回路を次々動員して働かせ、目的とする情報変換を行います。

コンピュータに実際の仕事としての情報変換を行わせようと思えば、この仕事を行うのに必要な次々の論理回路の並び、すなわち機械語の並びを予め与えておかねばなりません。この機械語の並びのことをプログラムといいます。

機械語のプログラムが与えられるとコンピュータはこれを入力して、記録装置に記録します。そしてコンピュータ本体の中では次ページの図のように、順番に並んでいる機械語のプログラムの中の機械語、つまりビット列形式の論理回路の名前が一つずつ取り出され、演算装置に入力する。機械語は図のように演算デコーダに入力します。演算デコーダは論理回路の数だけ出力線を持っていて、それぞれ論理回路につながっています。この出力線に１のビットが出力されて、それぞれの論理回路に到達するとその論理回路が働くようになっています。

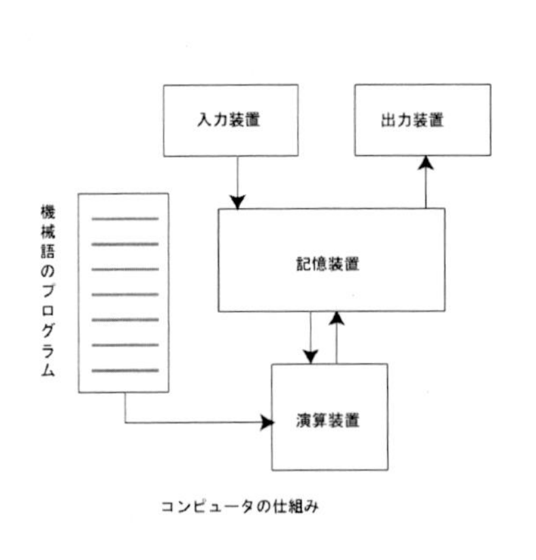

コンピュータの仕組み

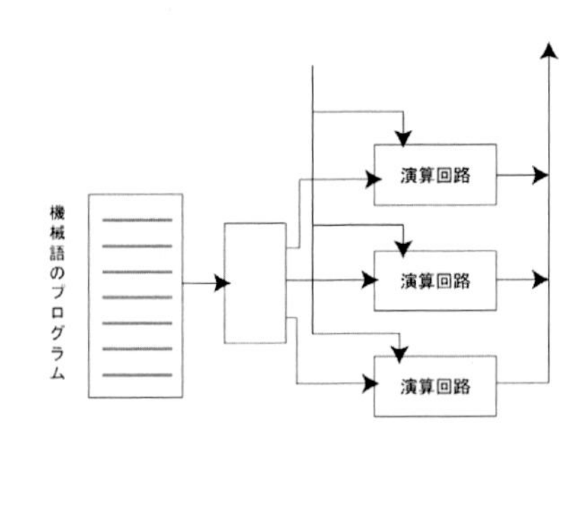

演算デコーダー

さらにコンピュータは　**機械語**　で命令する

機械語に対応する論理回路が働くと、すぐさま次の論理回路の名前がデコーダに入力します。同じことを繰り返して次々とプログラムの指示するところに従って論理回路が働き、結局初期の情報変換を行うことができます。

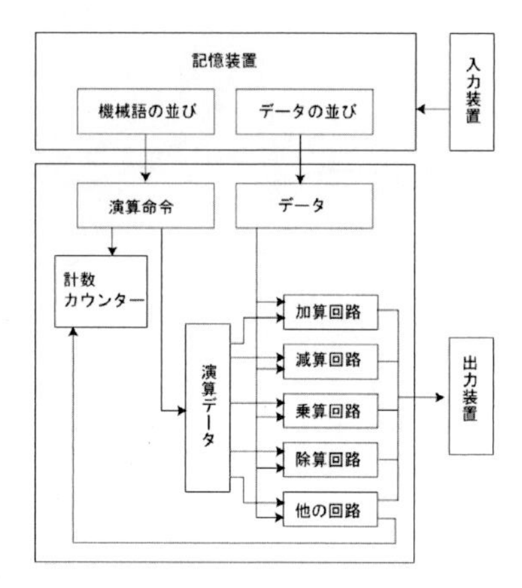

コンピュータの構造

この機械語は論理回路の名前と取り出すべきデータの記録場所を示す番地からできています。200 種類の論理回路を区別するには 8 桁のビット列（256 個を区別）が必要なので、機械語は 8 ビットの論理回路名です。

一つの機械語の長さが16ビットであるとする。このときのパソコンを16ビットと呼びます。16ビットのうち8ビットを名前に使ってしまえば、記憶場所として使用できるのは8ビット、すなわち256。32ビットのコンピュータでは、指定可能な番地の数が飛躍的に増大します。

コンピュータの演算速度は、毎秒の演算回数を百万単位で表し、この単位をMIPS（ミップス）といいます。番地についた記憶装置を内部記憶装置といい記憶装置の大きさはバイトB(byte)を用いて1KBや1MBなどで表します。

最初の電子式コンピュータはリレースイッチではなく真空管によって論理回路が作られましたが、基本的にはこれと同じ構造をした「ノイマン型」でした。

V.ノイマン(1903- 1957)
Los Alamos National Laboratory

Replacing a bad tube meant checking among ENIAC's 19,000 possibilities.
ENIAC
http://informatica4esobpalmiplzl24.blogspot.com/

ENIACは、世界最初のコンピュータ。幅24m、高さ2.5m、奥行き0.9m、総重量30トン。

20世紀科学史最重要人物の一人ジョン・フォン・ノイマンによって作られた。

さらにコンピュータは　**機械語**　で命令する

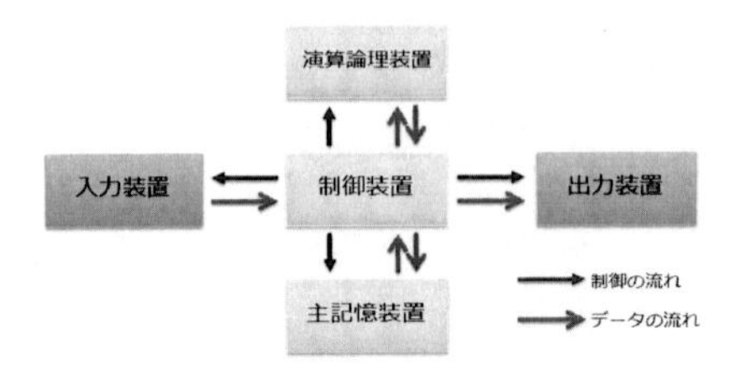

こういった複雑な処理は制御装置で制御された記憶装置上で行われます。

また計算の主要な部分は演算装置で行われます。入力装置、記憶装置、制御装置、演算装置、そして出力装置、これらがノイマン型＊コンピュータの５大装置です。

具体的には記憶装置と演算装置は伝送経路でつながれ、カウンタがこの処理の流れを制御します。

具体的な情報処理では CPU に含まれるアキュムレータ、カウンタ、レジスタと呼ばれる部分が大きな働きをします。

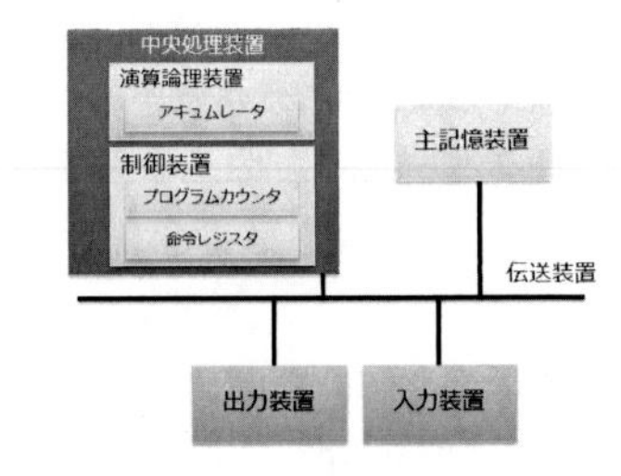

1+2 を計算するプログラムは次のようになります。
左側の番号はメモリ上の位置（番地）で、次の桁の２進数がメモリに格納されている値です。ビット単位でメモリに情報を格納できるため、この値も 16bit の値となっています。カッコ内はメモリに格納されている値が命令であるとみなしたとき、その値をわかりやすい符号表現を用いてあらわしたもの。プログラムの意味を分かりやすくするために考案されたものです。このプログラムは計算結果を６番地に書き込むようになっています。

プログラムカウンタを０にして、プログラムの実行を開始すると、次のように動作してゆきます。

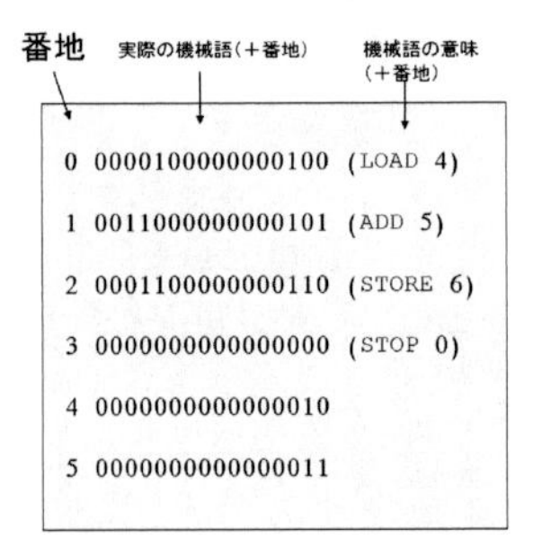


```
0 0000100000000100 (LOAD 4)
1 0011000000000101 (ADD 5)
2 0001100000000110 (STORE 6)
3 0000000000000000 (STOP 0)
4 0000000000000010
5 0000000000000011
```

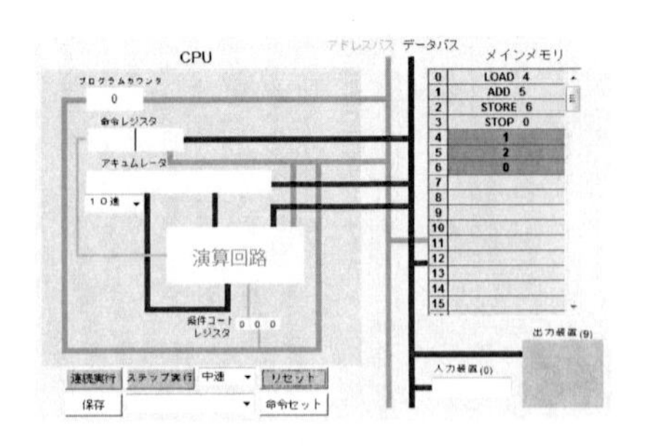

さらにコンピュータは　**機械語**　で命令する

STEP1

プログラムカウンタは 0 ですので、0 番地に格納されている情報を命令レジスタに読み込み、その命令 (LOAD4) を実行します。これは 4 番地に格納されている情報 (1) をアキュムレータに格納する命令です。また、プログラムカウンタは 1 増えて 1 になります。

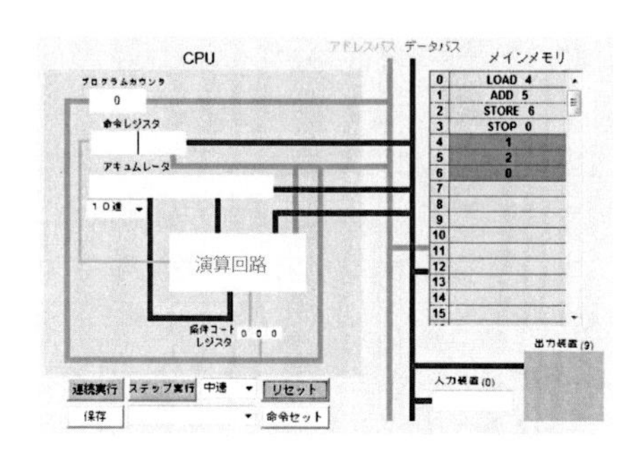

STEP 2

次に 1 番地に格納されている情報を命令レジスタに読み込み、その命令 (ADD5) を実行します。これは 5 番地に格納されている情報 (2) を取り出し、アキュムレータに加算するという命令です。同様にプログラムカウンタは 1 増えます。

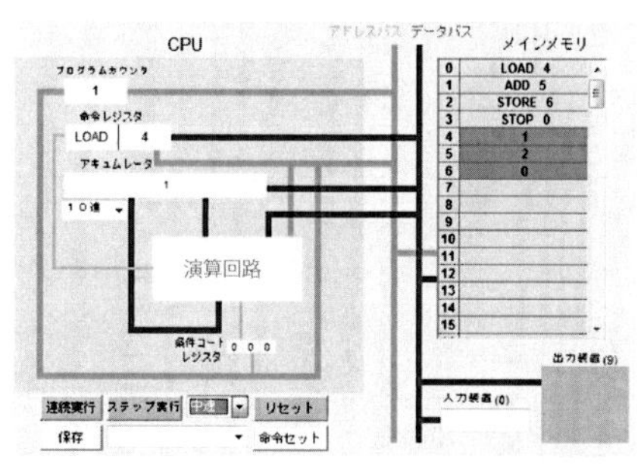

STEP3

次に 2 番地に格納されている情報を命令レジスタに読み込み、その命令 (STORE6) を実行します。これはアキュムレータの内容 (3) を 6 番地に格納するものです。プログラムカウンタは 1 増えます。

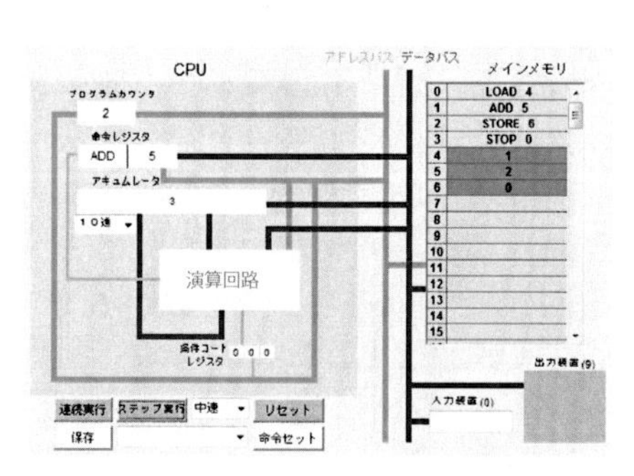

STEP4

3 番地に格納されている情報を命令レジスタに読み込み、その命令 (STOP0) を実行し、プログラムの実行を停止します。

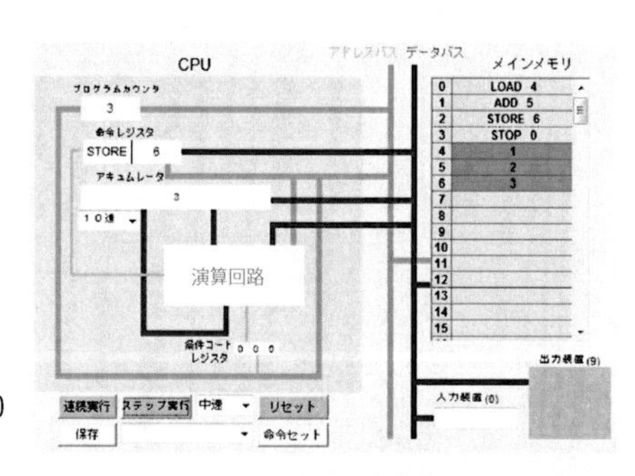

コンピュータの　**感覚**　をデジタル化で実現

コンピュータの心臓部のしくみは私たちの脳や複数のヒトが協力して作業に当たる仕方にヒントを借りて作られたものです。

私たちは周りに見える風景や風の音、また草木の香りを目や耳、鼻で見、聞き、嗅ぐことでそれを感じています。言い方を変えれば脳に取り込んでいるわけです。この目や耳、鼻に相当する器官を感覚器官と呼んでいます。コンピュータもまたさまざまな感覚器官で情報をシステムに取り入れています。コンピュータが使う感覚器官を「センサー(sensor)」とよんでいます。

先にアナログとデジタルのことについて述べました。例えば空気の温度や風速は途切れることなく変化していく連続量、すなわちアナログなデータです。コンピュータではこのアナログデータは使うことはできないので、デジタルデータに変換してコンピュータに取り込みます。この変換のことを「アナログ→デジタル変換（AD 変換）」といいます。

逆にコンピュータ内にあるデジタルデータを私たちに感じることができるアナログデータに変換する手続きは「デジタル→アナログ変換（DA 変換）」です。

私たちの周りの景色は目のレンズすなわち水晶体を通過して網膜に像を結びます。これと同じことがディジタルカメラで行われており、レンズを通った光は CCD と呼ばれる受光素子に像を結ぶのです。光の当たった素子は変化を起こし光電効果によって電流を起こします。この微弱な電流を拾い上げて全ての素子に対応する情報に変換したものが画像情報になります。この時カラー画像では、赤・緑・青（RGB）それぞれに対応した電流の強さを要素別に拾い上げ、その素子の色彩のデータセットとします。これは R・G・B それぞれ 256 段階の強さで記録されます。こうして得られた画素数分のデータは、それぞれビット列に変換され、コンピュータで活用できるデータとなるのです。同時にその位置の画素のデジタルデータは再び RGB の強さの光に直されモニターに映し出され、我々が見ることのできる形となっているのです。

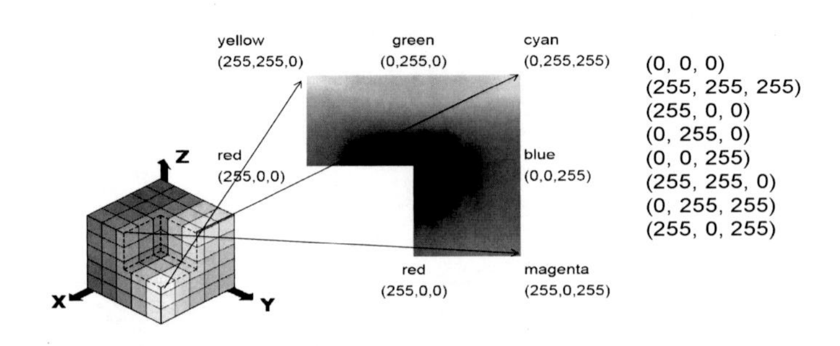

コンピュータの　**感覚**　をデジタル化で実現

音は空気の疎蜜波となって私たちの耳に届きます。音も同様にAD変換してコンピュータに取り込まれるのですが、音の場合は別の工夫が必要です。マイクから入力された音波は時刻によって変化する圧力値のグラフとしてとらえられます。この切れ目のないなめらかな曲線で描かれたアナログ波は、デジタル化に際し、一定時間ごとに区切られ、その時間での平均値として記録されます。ですから音は不連続な振幅の値の連続として捉えられるのです。この作業を標本化とよんでいます。また得られた値は小数点以下の数字を含むため、これを近い整数値に変えてしまいます。これを量子化とよんでいます。

このようにして、人間の五感に相当する情報は現時点において理論上は全てアナログ測定が可能で、デジタル化すればコンピュータで活用できる情報となります。

力覚センサーの原理は半導体など一定形状の物体に力が加わった時、起きるひずみを電圧の変化として読み取る技術です。また触覚センサーは素子に近づく物体の性質や寸法によって電気抵抗値とその微細な分布を測定して触覚を読み取ります。これらの感覚は手や足の皮膚や筋肉が感じるフィードバック（抵抗力）として出力することも実用化の域に達していて、これらを総合したハプティクスという領域が築かれつつあります。臭いは鼻の粘膜を刺激する物質の空気中の濃度として、また味覚も味蕾が感じる化合物の濃度として理論上測定が可能で、システム化された事例もあります。ただしこれらは実用研究だけではなく基礎研究についても現時点では他の感覚に比べ、遅れています。

これらコンピュータで使うデータを入力するセンサーは、その多くが回路やアクチュエータなどをセットにし、シリコン基板などの上に集積し、単独で一つ以上の機能を発揮するようにパッケージ化された「器官」部品として設計製造されています。これらをMEMS（Micro Electro Mechanical Systems）と呼び、高性能化・小型化が進んでいます。

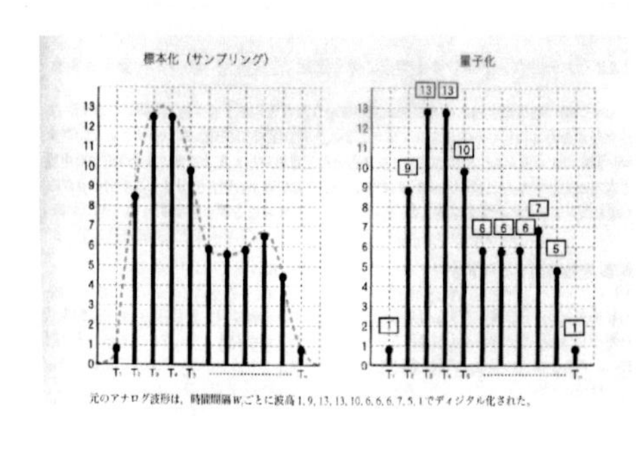

標本化（サンプリング）
量子化
元のアナログ波形は、時間間隔Wごとに波高1, 9, 13, 13, 10, 6, 6, 6, 7, 5, 1でディジタル化された。

コンピュータの　**モデル**　で現実世界をシミュレーション

コンピュータはヒトが入力した情報を変換し出力するのですが、複雑な手続きを含む現象についてもプログラムで再現することができます。例えば、保険の掛け金の掛け方によってどのようなメリットが得られるかといった、輻輳した計算を含む一連の手続きを模擬的に実行し、結果を得ることが可能となっています。

このように自然や社会の法則・制度（システム）などをコンピュータ内にプログラムとして構築し、ある条件の結果を模擬的に得ることをシミュレーション（模擬試験）とよんでいます。

ここで法則や制度にあたるものが「モデル」と呼ばれる数学的な考え方です。私たちを取り囲む自然は惑星間の引力や地球の重力、水や空気の流体に関する法則、電気磁気の法則など原理によって本質が抽象され、原理が重なって構成されていると考えられます。またヒトの作った国家、経済、法律などの社会的ルールも人為的な法則と呼べるでしょう。これらは量的な関係も含め、一定の条件変化を変数として扱うことのできる、システムであると捉えることができます。

太陽系モデル (http://www.seasky.org/solar-system/solar-system.html)

コンピュータの **モデル** で現実世界をシミュレーション

モデルは、いわばコンピュータによって、さまざまな目的のシミュレーションを行うために必要な「整理された性質」ということができます。

一般にシミュレーションは現実を対象として行うことが、危険性や結果の及ぼす影響、必要となる費用が大きい場合に用いられる手段です。危険がそれほど大きくない場合には、現実状況そのものの上で、条件を変えた試行錯誤もよく行われます。

地震（災害）シミュレーション
気象（災害）シミュレーション
航空シミュレーション
道路交通シミュレーション
人口動態シミュレーション
建築　構造シミュレーション　日影シミュレーション

など、規模が大きく、試運用が不可能あるいは困難、また設計や運用方策を誤った場合の被害や損失が大きすぎるといった場合によく用いられます。

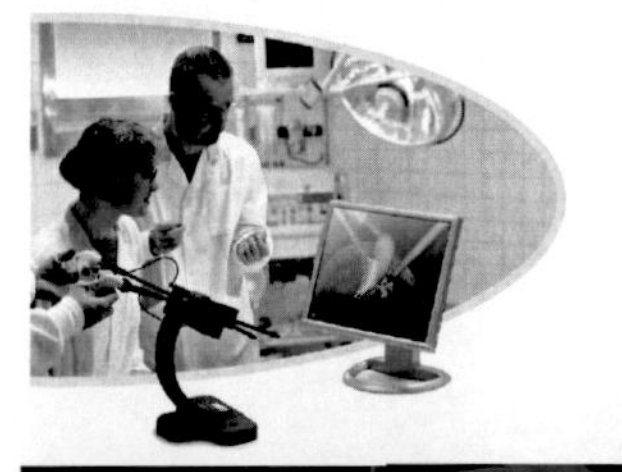

医療

人体を模擬した仮想立体に対して腹腔鏡による模擬手術を行っている。手術技術の習得目的や、実際の手術に先だってプロセスをシミュレーションすることも多い。
https://app.emaze.com/@AOIOCQZRR#5

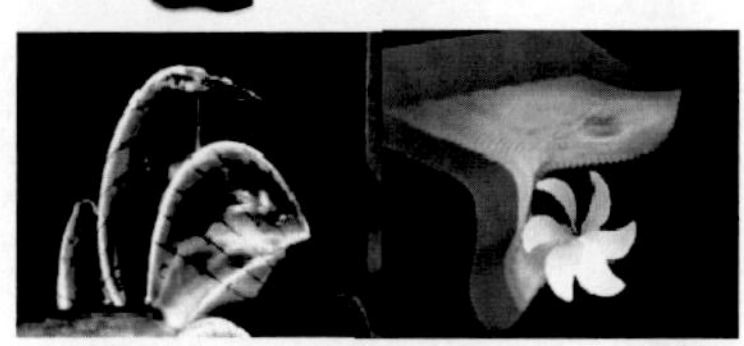

船舶設計

船体やスクリューは形状によって推進力や速度が大きく異なる。水中を模したシミュレーションで性能を高めたり、確かめたりする。
https://www.mes.co.jp/Akiken/business/senpaku/

カーシミュレーション　global.toyota/jp/company/profile/facilities/r-d/

自動車運転

実際に「制御され、動く空間」に設置された運転席。運転シミュレーションに際し、生じる加速度や揺れも実証できる。
トヨタ自動車東富士研究所　カーシミュレータ

コンピュータの　**ネットワーク**　が世界とつなげる

現在都会に住む私たちはほぼ毎日インターネットのお世話になって生活しているといって間違いないでしょう。

学校のイベント、休講情報から始まり、移動する際に用いる交通情報、買い物に関する情報、医療機関や医療・薬剤に関する情報、仕事に関する情報、公的な組織に関わる場合の情報とおおよそ枚挙にいとまがありません。そしてこれらの情報のほぼ100パーセントがインターネットを介して得られるものなのです。

個人のコンピュータはアプリケーションソフトを入れ替えることによってさまざまな事ができます。が、その道具立てだけでは私たちの社会生活にはほとんど活用することが難しいことが分かって来るでしょう。

これはパソコンの中には、揺れ動く社会の現在に関する情報が殆ど入っていないということに原因があります。

私たちがコンピュータを生活や仕事に活用するためには、自然や社会のルールを前提とした現在の状況をデータとして獲得して、その条件のもとに求める方向を選択する必要があるのです。

インターネットはこういった私たちの要求に対して有効に関わってきます。というのも、対象となる情報は世界中にあり、インターネットもまた世界中に繋がっているからです。

TCP/IPとEthernetによる社内ネットワークの仕組み

もはやお馴染みの
イーサネット規格のLANケーブル

ご存じLANポート
（イーサネット）

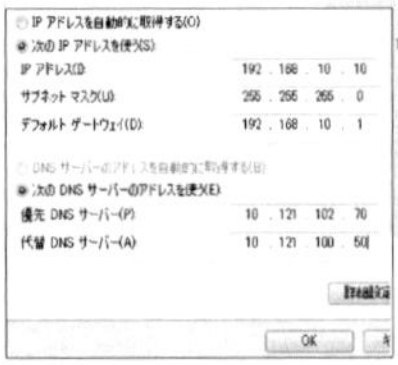

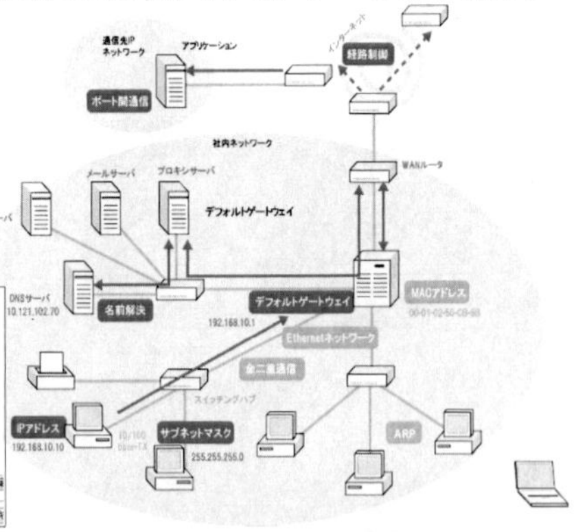

通信速度は初期の100万倍に

デフォルトゲートウェイは外部からの攻撃を防御しています。

コンピュータの **ネットワーク** が世界とつなげる

インターネットはどんな仕組みになっているかを知るには少し歴史を遡ってみた方がよさそうです。

インターネットが開発されたのは勿論コンピュータが発明されてから後の事です。ENIAC 誕生 25 年後の 1969 年にはインターネットの原形とも言える ARPANET がスタンフォード大学とカリフォルニア大学ロサンゼルス校の間で接続、実用化されました。

その後ネットワーク上では、異なった通信技術が乱立し相互の接続に困難が伴っていました。現在の通信方式である TCP/IP が世界標準となったのは 1980 年代の後半になってからのことで、ここで初めて世界規模の共通ネットワークが実用域に達しました。

1989 年アメリカ最初の商用インターネットサービス「The World」が開始されましたが、その際のアクセス方式はダイヤルアップ方式でした。サービスプロバイダをトーンダイヤルで呼び出し、接続が確認されてから Web やメールなどの使用を開始するというものでした。

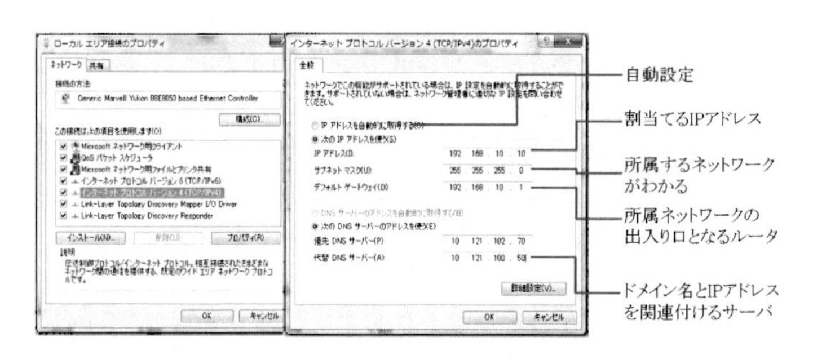

接続設定には IP アドレス、デフォルトゲートウェイの IP、DNS サーバの IP が必要です。

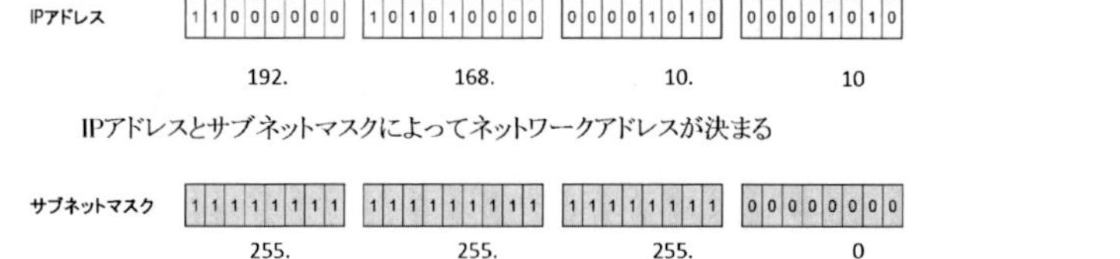

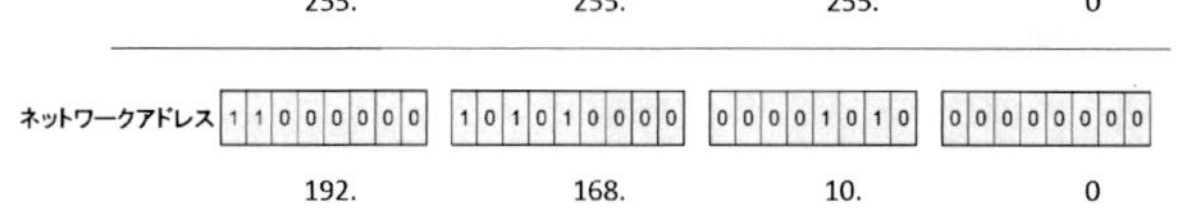

サブネットマスクは所属するネットワークアドレスを導き出します。

コンピュータの　**経済** 戦略

情報技術は近代のはじめから人間の経済活動に大きな影響を及ぼしてきました。今日、経済に 2 つのキーワードで関わっています。

1 つは、流通に関わる情報技術、もう一つはものづくりに関わる情報です。
コンピュータは 20 世紀、流通の形を大きく変えました。特に 1,990 年以降は、インターネットの登場によって小売業態が大きく様変わりしました。

今日コンビニエンスストアでは商品のバーコードスキャンをする「ピー」と言う音が鳴り止む事はありません。ではこれは何のために行っているのでしょうか？

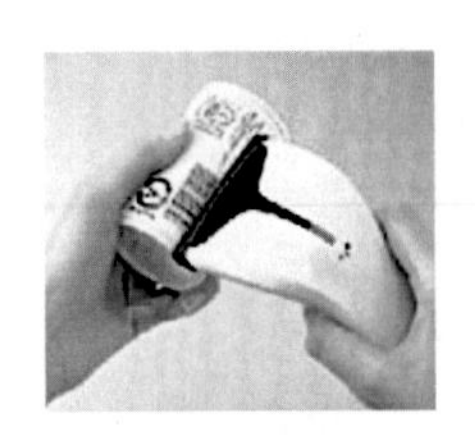

商店は物品が 1 個売れるごとにその種類、価格をコンピュータに登録していきます。この情報がその店舗の売り上げに加算され、次の時点での棚卸しすべき商品を示すわけです。このように商品を売上た時点で、売上を登録していく事を販売時点管理 (POS: ポイントオブセールス) といいます。POS はバーコードとスキャナの登場で実現したといっても過言ではありません。

1 日、1 週間ごと、1 ヵ月、1 年ごとの商品の売り上げ動向を管理すれば、その店舗はどのような商品を売り､品揃えをしていくことが戦略上有益か判断できます。これを「売れ筋管理」と言っています。

この結果コンビニエンスストアだけに限らず、広域においてフランチャイズチェーンを持つような店舗は、それぞれの店がどのような役割を担えば良いのか、あるいはフランチャイズチェーンそのものがどのような客筋をどのような商品でつかんでいけばよいのかを判断する大きな手がかりを得ることになります。

また、その店舗に商品を卸すメーカーはどのような店舗でどのような商品が売れているかを把握することによって、次の生産計画にこの情報を役立てるわけです。

1 つの商品はそれが作られるまでにいくつかの生産過程を経ています。例えば、1 本の鉛筆は芯と握りの木の部分からできていますが、黒鉛を固めて芯の材料を作るメーカーと 1 本のパーツを切り出す木材のメーカーが関わっています。鉛筆メーカーはこの 2 社からの材料の提供を受けて一本の鉛筆を完成することができます。1 本の鉛筆が売れると言う事は、このメーカーの在庫から 1 本の鉛筆が移動し、新たに 1 本の芯と鉛筆 1 本分の木材が必要になるということです。このことをインターネット経由で 2 つのメーカーに伝え、また自社の倉庫管理係に伝えることによって、生産から販売までの流れを止めず、社内外のものの流れを管理することができます。

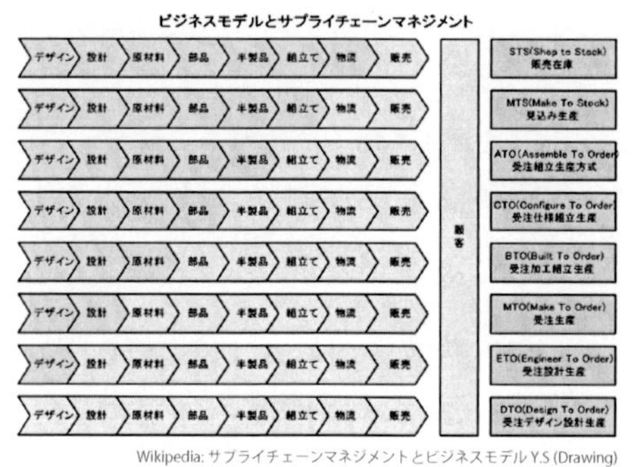

Wikipedia: サプライチェーンマネジメントとビジネスモデル Y.S (Drawing)

このように複数の関係事業者をつないで、商品の生産過程間の情報を管理し、スムーズに生産から販売までを流れの上に乗せていくことができます。このような体制をサプライチェーンマネジメント (SCM=供給連鎖管理) と言っています。SCM が大きな力となって企業間をつなぎ、1 業態の 1 つの産業が構成されている。それが現代です。

利潤を追求する企業は、SCM 情報から次なる経営の指針となる情報を得ています。このように 1 つの企業が他社の情報も巻き込みながら自社の資源をどのように管理して企業経営をうまく運営することができるかを図ること。これをエンタープライズ・リソース・プランニング (ERP= 企業資源管理) と呼んでいます。

このように現在の企業は POS に始まる、信頼のおける売り上げ予測の一件、一件を正確に積み上げげることによって、信頼できる未来をあらかじめ、構成・計画し、経営を確立しているわけです。

情報技術が経済に及ぼすもう一つの側面は商品の生産の過程です。先ほど述べたように、商品はその設計過程から生産販売までの過程を情報によって管理されているわけですが、IC タグというごく小さな電子パーツを商品に付属させることによって、その商品がどこで設計され生産されたか、またどんな材料によって構成されたものなのかを商品そのものに付随させることができます。その IC タグに書かれた情報を適切なデバイスで読み取ることによって製品の、その商品から分析・再構成される次世代の製品の行方までを管理することができます。このことを物のインターネット IoT と呼んでいます。IoT が最も進んだ国、それはドイツであり、ハイテク戦略プロジェクト「IT 4.0」の企画が定められています。

同様のものに日本の「ソサエティ 5.0」がありますが、これは物のインターネットだけを述べているわけではなく、ビッグデータと IoT が協業した、産業全体と人々の暮らしを総合して考える ICT のあり方で、世界から熱い眼差しが寄せられています。

2000 年代の初め、情報科学には大きな変革が訪れました。AI (人工知能) がそれです。もともとコンピュータは人間の論理的な活動そのものを機械に置き換える考え方を含んだものでした。それは単に物や状況を数的に把握するだけではなく、論理を理解するものとして企画されたのです。

ひとを中心に　**ハイパーテキスト**　が言葉の意味をつなぐ

20 世紀、私たちの情報環境をより有意に変革したもののひとつに「ハイパーテキスト」とよばれる概念があります。

私たちのまわりには自然物があり、また人工物に取り囲まれて生活をしています。これらすべてには「名前（名詞）」があり、それらを修飾する「形容詞」と、それらに対する「働きかけ（動詞）」、またそれらに対する私たちの「考え（抽象名詞）」や人間が共有する「規則・原理（抽象名詞）」などもあります。

これらはすべて辞書にその説明がありますが、ある言葉の説明の中にはまた他の言葉が登場してくるのです。すなわちこれらの言葉は互いに何らかの関係性を持っており、全ての言葉はこの関係性でつながったものだといえます。この説明される言葉と説明する言葉の関係をインターネット上でつなぐ仕組みがハイパーテキストです。

ハイパーテキストという考えは 20 世紀半ば、メメックスという新しい情報システムを構想した技術者バネバー・ブッシュ (1890-1974) という技術者の論文「As We May Think」に始まります。

これは「私たちが考えるように」という意味で、この論文の中で彼は「私たちが新しいものを考え出す時に必要となる知識が思考のタイミングに応じて随時参照できたらどれだけ素晴らしいだろう」ということを述べています。そして当時実現していた情報媒体であるマイクロフィルム * によってこの構想は組み立てられていました。ブッシュは自己の蔵書をこの装置で関係づけたテスト版をすでに実現していました。

V. ブッシュ (1890-1974)
commons.wikimedia.org/wiki/

As We May Think の紹介記事
『LIFE 1945 9/15』より

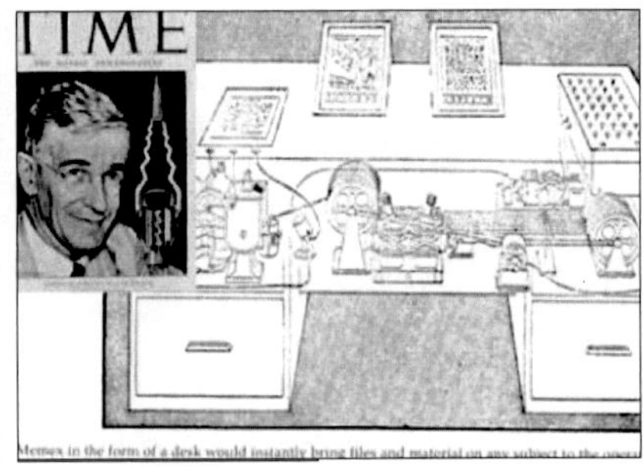

memex の構想図
https://www.darpa.mil/news-events/2014-02-09

ひとを中心に　**ハイパーテキスト** が言葉の意味をつなぐ

この考えはテッド・ネルソン（1937-）による1960年のザナドゥ (Xanadu) 計画に受け継がれ、さらに欧州原子力機構 (Cern) に在籍したティム・バーナーズ・リー (1955-) によって1989年、WWW(World Wide Web) として実用化されます。

今日私たちがWebとして使っているシステムは全てこの設計仕様上、或いは延長上にあります。html(hyper text markup language) と呼ばれるタグ言語とこれをコンピュータ上で解釈し表示するInternetExplorerのようなブラウザソフト、インターネット上の通信規約 http(hyper text transfer protocol) とApacheに代表されるサーバプログラムがセットになってハイパーテキストを実現しています。（テッド・ネルソンはザナドゥーの構想からかなり後退したと述べています）

インターネットで接続されたサーバコンピュータとユーザーコンピュータはhttpプロトコル（httpはhyper text transfer protocolの略。プロトコルは「通信方法」）で接続されます。

クライアントコンピュータのブラウザからサーバコンピュータに接続要求が出されDNSサーバを経由して目的のサーバに接続された上で、要求されたWebページのデータがクライアントへ送り返されます。html言語で書かれたWebページの内容はクライアントコンピュータのブラウザ上でで復元表示されます。

ブラウザ上のurlはサーバコンピュータの住所

T. ネルソン (1937-)
https://scrapbox.io/hiroyuki-note

T.B. リー (1955-)
Photo : Donna Coveney, MIT

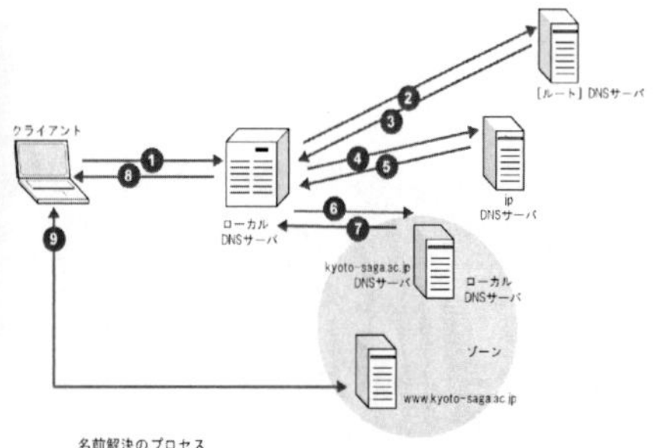

DNS（名前解決）はドメイン名をIPアドレスに変えるサービス

ヒトを中心に　**制御工学**　が気づかせてくれた

制御とはコントロールとも言いかえることができ、コントロールする対象は、生産プラント、水、交通、エネルギーなど、都市のインフラ＊です。

特に 1970 年代以降相次ぐ航空機、発電プラントの巨大事故を受けて人と機械、人と人とのコミュニケーションにおけるヒューマンエラーの防止が最重要課題となりました。

1970 年代に入って、監視システムに関係する大きな事故が 3 件起こりました。まず 1977 年のテネリフェ空港で起きた航空機事故。これは管制官と二機の飛行士の間でのコミュニケーションミスが原因。また 1979 年米ペンシルバニア州スリーマイル島で起きた TMI 事故は原子炉溶融と放射性物質の空中放出を招く結果となりました、運転員の計器読み間違いが原因の事故。さらに 1986 年にはソ連（現在のロシア）チェルノブイリ原子力発電所で実験下における未経験状況など複数の原因による原子炉爆発とそれにつづく大量の放射性物質流出事故が起きました。

これらはいずれもヒューマンエラー（人為的ミス）が原因で起きた大規模な事故で、これ以降システムの監視制御について、世界中で一連の抜本的な改善が行われました。この改善において、人と機械、人と人のコミュニケーションにおけるヒューマンエラーの防止が最重要課題となりました。

この安全性再優先システム（safety-critical なシステム）の開発は、認知システム工学（cognitive systems engineering）分野の発達を促しました。

欧米ではこの研究分野をヒューマン・コンピュータ・インタラクション（人間コンピュータ間の対話）と呼んでいます。ヨーロッパでエルゴノミクス、アメリカでヒューマンファクタと称される学問として 1990 年代 ~2010 年代、大きく進展し現在も重要な課題として研究が続けられています。

＊インフラ・・・インフラストラクチュアの略。エネルギー・通信など都市の基盤をなすしくみのこと。

テネリフェ空港航空機事故
https//matome.naver.jp/odai/2148879129251680901

TMI 事故　United States Department of Energy
https://commons.wikimedia.org/wiki/

チェルノブイリ原子力発電所
http://www.sheppardsoftware.com/Europeweb/factfile/

J. ラスムセンはデンマークの認知科学者。『インターフェイスの認知工学』の著者。

プラント制御設計では，スキルベース，ルールベース，知識ベースの 3 階層と言う表現を使用する。これは、1989 年当時コペンハーゲン大学の J. ラスムッセン教授が，著書 "インターフェイスの認知工学" で提案した概念です。

まず，ラスムッセンは人間の意思決定を下記のモデルで考えます。

ここで重要な点は，通常我々が意思決定している時に，明確に意識している以前に無意識の段階で，多くの情報取捨選択が行われていると言うことです。人間は，外部の世界を自分の頭の中のモデルで解釈して行動していますが，このモデルを構築する為に多くの情報を取捨選択しています。

いわゆる意識的な情報処理では,「人間情報処理モデル」(ヒューマンインタフェースヒトの規則システム参照) を用いて計算機のような逐次処理で意思決定を行っているのです。

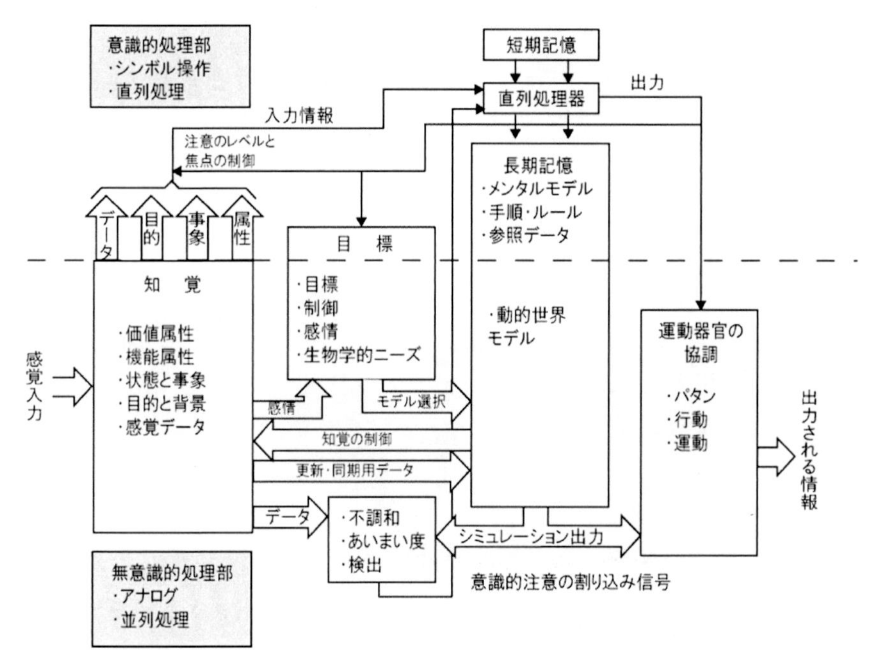

思考における推論と制御

スキルベース，ルールベース，知識ベース活動のメータに関するアクション例

(a) スキルベース，無意識的にメータの表示値を設定値に合わせるように調節。

(b) ルールベース，各表示値に対応した，マニュアルどおりのアクションを行う。

(c) 知識ベース，表示値の意味を考え，他の部分の故障まで考慮した行動。

無意識的活動がスキルベースであり，決まったモデル内での活動がルールベースであり，頭の中のモデルをこね回して苦労するのが知識ベースです。

この内容を少し詳しく書いたのが，下の２つの図です。ユーザインターフェイスの設計時点では，人間が知識ベースで思考する場合に，できるだけわかりやすい情報提供を行うこと，定型的なルールから逸脱するような異常事態では，如何に定型ルールに落ち込まない様にするかの工夫が必要です。

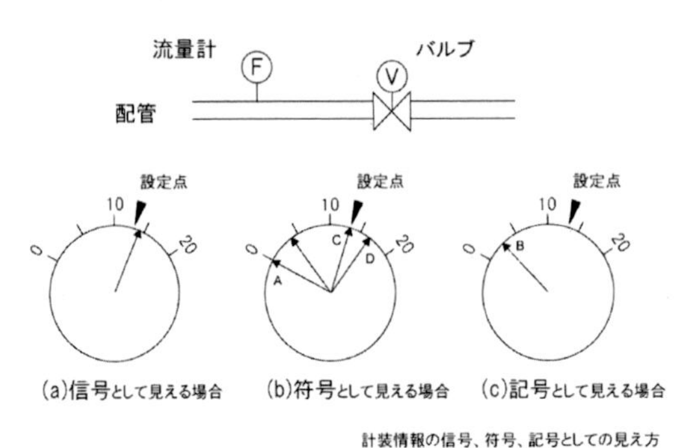

計装情報の信号、符号、記号としての見え方

計装情報の
信号、符号、記号としての見え方

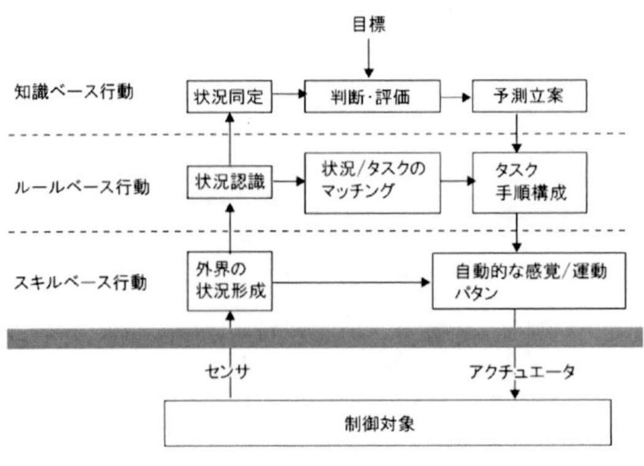

ラスムセンの運転員モデル

ラスムッセンの運転員モデル

ヒトを中心に **ヒューマンインタフェース** をデザインする

私たちの生活にコンピュータが溶け込み、新しい知識がインターネットで短時間に共有され、生産や社会活動が情報によって守られる時代となりました。

このことは情報工学の進化によってなされたいくつもの革新によって実現されたことは言うまでもないのですが、近年、人類史における大きな区切りであるとも捉えられるようになってきています。(ユヴァル・ノア・ハラリ「サピエンス全史」)

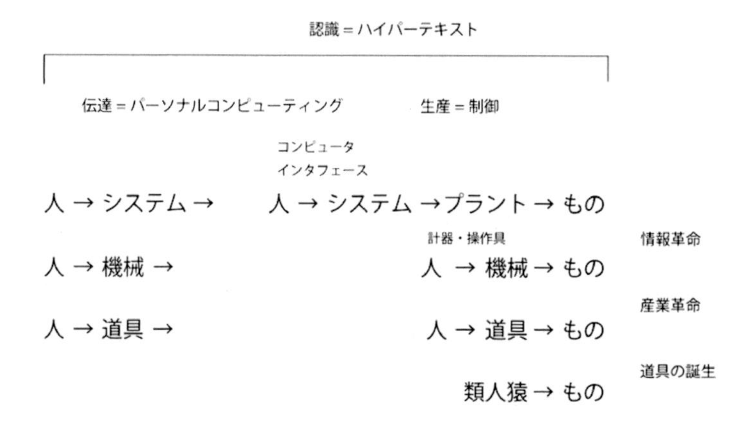

この状況を生み出すための強い助けとなったものは、これらが人に接するかたちで進化し、人にとって分かりやすく、使いやすいという必要性をもっていたことです。

私たち個人が情報を活用する際には、世界をひとまとまりの情報の総体としてとらえる必要があります。これを情報の「システム＝体系」と呼ぶなら、人とシステムの間をどのように関係づけるかということが、効率性、快適性、普遍性の視点から大切であることは言うまでもありません。

1945 年に最初の電子式コンピュータ ENIAC が誕生して以来、今日までの情報化の歴史をたどると、それは制御工学・ハイパーテキスト・パーソナルコンピューティングという三本の大きな流れとして捉えることができます。

そしてそれらに対して常に示唆を与え、成長してきた学問として「認知科学」という領域を挙げる必要があります。

これは人の能力が情報処理という観点からコンピュータと比較して、どのように異なっているかという特性に着目します。

人の感覚知覚特性

感覚 (sensation) は末梢から中枢へ流れる情報入力。知覚 (perception) は脳の中枢で外界を読み取ること。

ウェーバーの法則:弁別閾は固定したものではなく、基準となる刺激域の強さに比例する。

ウェーバー・フェヒナーの法則：感覚量Eと物理量Sの間に成立する式。

$E = k \log S$

ゲシュタルト心理学

意図せず「そのように見えてしまう」視覚の特性。

カクテルパーティ現象：自分にとって重要な内容が現れた途端に注意が向く現象。

インタフェースでの認知行動とインタフェース

注意（attention）の向け方によって図と地が逆転する。注意の向け方は脳の働きを一方的にバインディングする働き、このことが文脈を規定する働きをもたらしています。注意の向け方によってものの見え方が変わるということでもあります。

en.wikipedia.org/wiki/My_Wife_and_My_Mother-in-Law

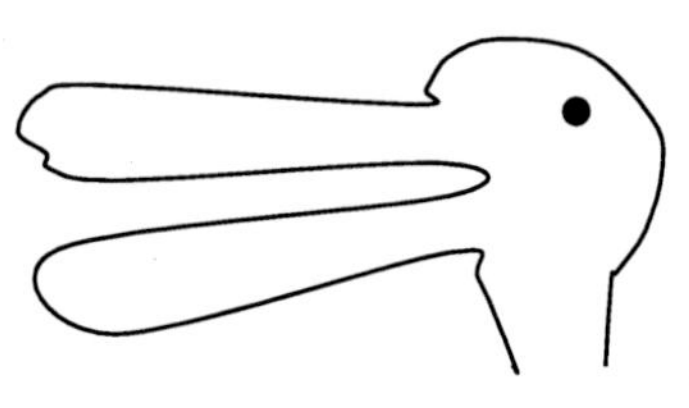

Rabbit-Duck

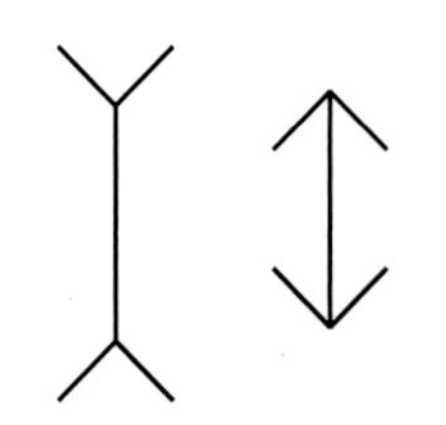

ミュラー・リアーの矢印

人の記憶システム

カード（Stuart K. Card）による人間情報処理モデル
チャンク＝chunk【英】とは意味をもった言葉のまとまり、心理学者ジョージ・ミラー（George A Miller, 1920 年 - ）の提唱した概念です。
知的処理と感性処理―ヒューマンインタフェースの二要素認知科学・人工知能の研究などで知識偏重のアプローチが手詰まりになり、感性への注目度が高まりました。

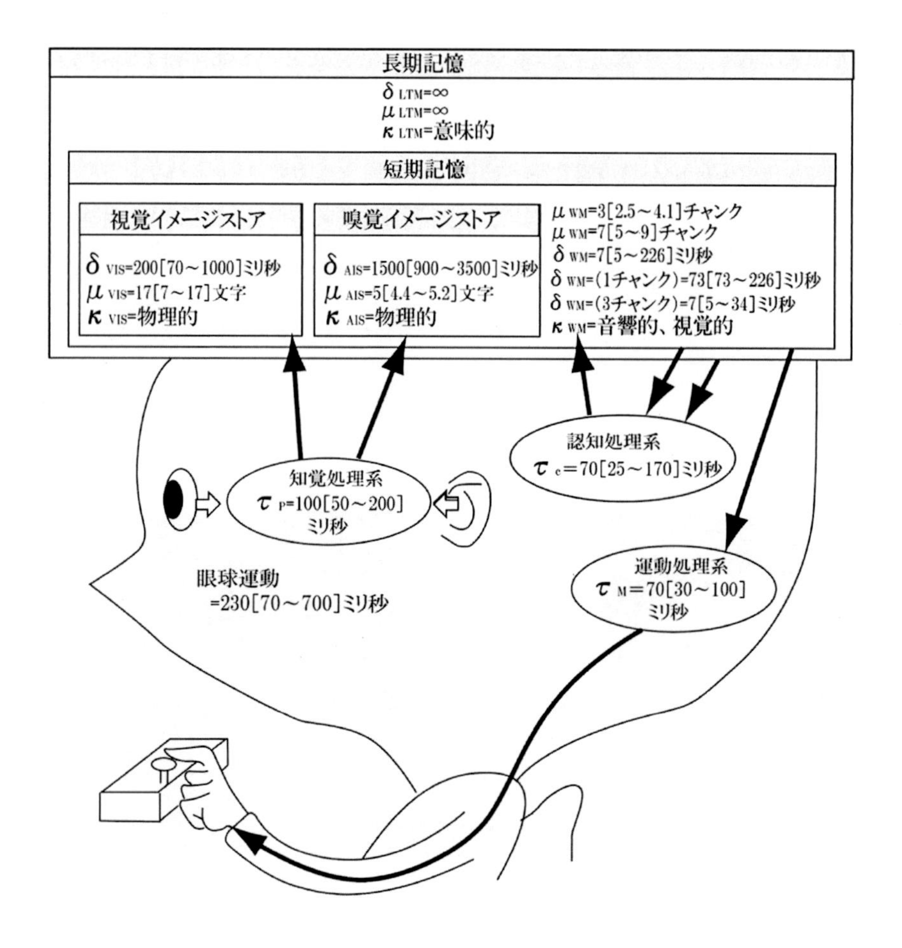

ヒトを中心に **認知科学** で考える

1950 年代後半からひとの知的活動を情報処理の観点から解明しようとする研究が同時多発的に出現しました。特筆すべきは、1956 年ダートマス会議にミンスキー（Marvin Minsky, 1927-)、チョムスキー（A. Noam Chomsky, 1928 -）など、のちの人工知能研究、認知心理学に大きな影響を与えた研究者が出席し、人工知能など重要な概念が議論されたことです。これが認知科学の発祥とされます。

冷戦や AI という言葉の浸透などで一気に研究が進みました。

認知心理学 (Cognitive psychology) の分野はそれまで刺激 - 反応（S-R）という図式にある新行動主義心理学に対する批判として発生していました。行動主義的な立場、すなわち我々の行動を通して認知の仕組みを探るのではなく、認知のメカニズムについて直接仮定を立ててその妥当性を探ろうとする立場です。

情報処理の観点から生体の認知活動を研究する学問。20 世紀前半ゲシュタルト心理学やバートレット、ピアジェ、ヴィゴツキーらの認知論的研究の流れを汲んでいます。新行動主義心理学の発展型とも見ることができます。20 世紀最後の四半世紀以降、現代心理学の主流の座にあります。

認知心理学という言葉は 1967 年ナイサーの発表した本「認知心理学」に由来します。

N. チョムスキー (1928 -)
https://www.discogs.com/ja/artist/

J. ピアジェ (1896 - 1980)
http://cn.sz-search.com/

『Cognitive Psychology』(1967)
images-nassl-images-amazon.com/images/

論理か生命か　**機械情報** は強力な規範化権力のもとで有効である

C. シャノン（1916-2001）は情報の量を事象の起こる確率によって定義しています。これによれば「起こりにくいこと」が生起した時の情報量は「起こりやすいこと」が生起したときのそれに比べて大きいということになります。「数と情報」で述べたビット（bit=binary digit）という言葉を初めて使い始めたのもシャノンです。

このビットという単位であらわされる量は「データ量」とよばれ、「情報量」とはすこし意味が違います。「今日の情報科学は休講だ。」という文と「本日 12 月 19 日、第 2 限の講義『情報科学』は休講となった。」という文を比較すると前者は 14 文字、後者は 28 文字で構成されていて、データ量でいえば後者は前者の 2 倍あるが、受講生にとって意味するところは同じです。

このデータ量という情報の量り方に対応した、いわばコンピュータの入・出力、変換・蓄積といった手続き処理をされる情報を西垣通（1948- ）は機械情報とよんでいます。これに対して例えば受講生といった人にとって、その行動を決める判断材料になるような情報は「意味情報」ということができます。工学の分野ではこの機械情報を扱う技術を大きな課題としているわけです。

わたしたちの言葉には文法があり、シンタックス（統辞論）がその裏付けとなっています。これは複雑化する社会において、「遠い時間、離れた場所で起こる複合的な事象」を正確に記述するために、わたしたちにとって必要となってきたものと言えます。

シンタックスの対義語はセマンティクス（意味論）。これが原形的言語を構成しています。生・死、生殖、支配・被支配といった社会権力など生物特有の、生存の性質に基く理論とも言えます。

C. シャノン (1916-2001)
Author: Konrad Jacobs, Erlangen

都市のオフィスビル
divisare.com/projects/

先に述べた、意味のない「機械情報」がなぜ必要かということ、言い換えれば機械情報の有効性は、言語の意味を保証する規範化権力が支えているのです。

情報化社会とは記号の意味作用の安定という条件の上に成立する社会だといえるのです。

論理か生命か　**記号論理学**　は心をつくれるか

人工知能という目標へ至る過程として論理学あるいは数学において、近代の比較的早期に重要な概念が出てきています。

人工知能を生み出す根本的な構想は、既に 17 世紀、G. ライプニッツによって生み出されていました。「普遍記号学」と題されたこの学問は事実に関連付けられた記号とその相互を演算する事によって全ての命題を生み出すことを目的としました。ライプニッツはホッブズ（英の思想家：1588 - 1679）の考え―心 (mens) の働きを論理的思考ととらえ、すべて計算 (computatio) として置き換えることができる―を支持しました。

このころ I. ニュートンによって古典力学、すなわち科学の基礎が据えられ、イギリスを皮切りに産業革命が起こり、電磁気学が誕生します。こうして迎えた 20 世紀はじめ、B. ラッセルと A.N. ホワイトヘッドによって著された『プリンキピア・マテマティカ（数学原理：1913)』は記号論理学誕生の記念すべき実証となりました。この中でラッセルらは明示された公理の一組と推論規則から数学的真理すべてを得ることを試みました。

数学者 D. ヒルベルトは論理学者 G. フレーゲに触発され、「ヒルベルト・プログラム」において記号論理学が明かすべき目標、すなわち、「数学におけるあらゆる推論は形式化できるか」という根本問題を提示しました。このことは数理論理の限界の中であれば、任意の数学的推論を機械化できるという事実を導き、A．チューリングによる後のコンピュータの原形、チューリングマシンの誕生を促したのです。

G. ライプニッツ (1646-1716)
Herzog Anton Ulrich-Museum

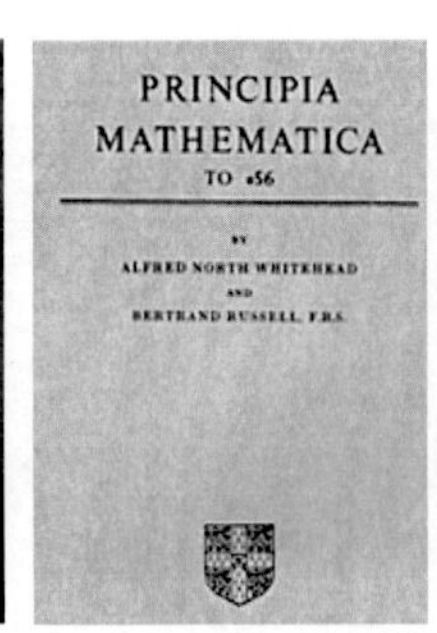

プリンキピアマテマティカの表紙
wikimedia　Author:Nick Dillinger

B. ラッセル (187- 1970)
nationaalarchief.nl/　Author:Anefo

A.N. ホワイトヘッド (1861-1947)
wikimedia　Author:Wellcome Trust

論理か生命か　**記号論理学**　は心をつくれるか

しかしプリンキピアには「無矛盾性の問題」と「完全性の問題」が残りました。これに対して 1930 年 K. ゲーデルの『不完全性定理』によってそれらの限界が示されることとなります。

第 1 不完全性定理 自然数論を含む帰納的公理化可能な理論が、ω 無矛盾であれば、証明も反証もできない命題が存在する。

第 2 不完全性定理 自然数論を含む帰納的公理化可能な理論が、無矛盾であれば、自身の無矛盾性を証明できない。

このことは数学的推論が計算できることと、それには限界があるということを示したのです。この時点で「機械は人間がそうするように論理的に考えることができる。しかし、人間の思考全体を真似ることはできない。」という現在の人工知能研究がおかれた状況を暗示していると言えます。

ω 無矛盾・・・K. ゲーデルが導入した、通常の無矛盾性より強い性質をもつ無矛盾性。

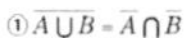

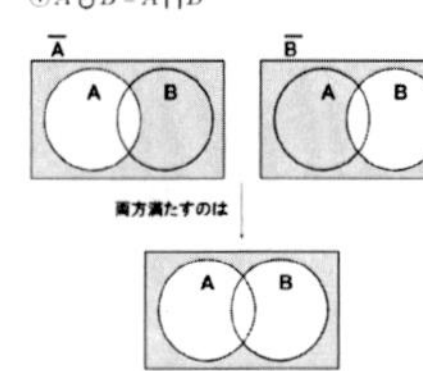

* 論理記号
左の図は論理記号による命題表記とベン図を対照した例です。
論理記号式が示すものはベン図で描ける集合として表わすことができます。

D. ヒルベルト (1862-1943)　A. チューリング (1912-1954)　K. ゲーデル (1906-1978) と不完全性定理

Wikimedia　Unknown author　Wikimedia　turingarchive.org/　2.bp.blogspot.com/

論理か生命か　**情報の定義**は「パターンを生むパターン」

ヒューマンインタフェースのところでお話ししたように、「生命情報を扱う主体をヒトが作ることは可能か？」という問題は、生命と論理の二項対立として取り扱い、それらの違いを浮き彫りにすることによって考えることができます。

情報ということばはどのように定義されているのでしょうか？

文化人類学者 G. ベイトソンは生物にとって情報とは何かを定義しています。「差異を生み出す差異（ベイトソン『精神と自然』第 4 章："a difference which makes a difference"）」ということばで生物にとっての情報、言い換えれば「生命情報（西垣）」を説明しているのです。

生物進化の足跡を辿れば、原子生物が少しづつその DNA を変化させてより高等な生物へ進化していった過程を見ることができます。生物を外側から見てそのありようを考察するだけでは生物の情報のありかたを解明することはできません。現時点で観察されるような「最終様態」で生命情報を述べることはできないのです。太古からの情報変化の過程 = 歴史が生命情報だと言いかえることができます。この意味で工学的な機械情報とはその本質が異なっているのです。

社会学者 吉田民人による情報の 4 つの定義のうち、少なくとも私たち生活者、またクリエイターにとって大切なものは「生命に関する情報」（広義の情報）であり、「パターンを生み出すパターン（西垣通 *）」と定義できます。情報は生命とともに誕生しました。

西垣通 *・・・情報科学者、東京大学名誉教授。「心の情報学」ほか。

G. ベイトソン (1904-1980)
pbs.twimg.com/

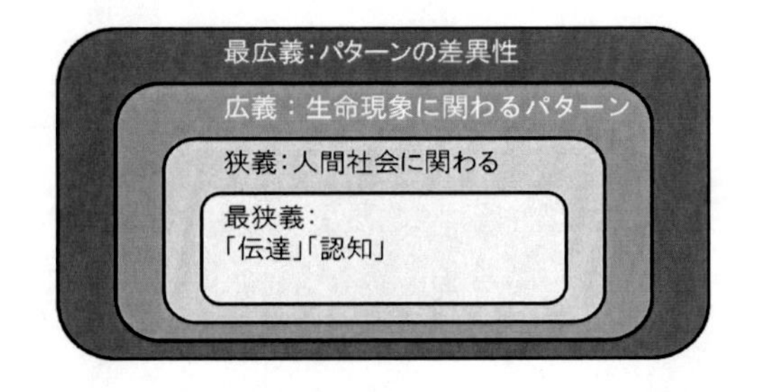

情報の定義　吉田民人 (1931-2009) による

論理か生命か　**生命活動**　**の根源にアフォーダンス、散逸構造、オートポイエーシス**

もとより、ヒトや動物など生命の生み出す情報は、原始生命体から現在に至るその長い歴史によって重層されていることと、自らを作り出すシステムを持っていることから、「記号論理的」情報とは全く異なるということを結論付けざるを得ません。また次に挙げる３つの論拠を加え、「内側から歴史に沿って」作られるものが生命情報であると言えます。

ジェームズ・ギブソン＊は環境が生物に与える情報（制約）を発見し、これにアフォーダンスと命名しました。「動物と物の間に存在する行為についての関係性そのもの」
情報理論（直接的には通信の理論）における情報量の定式化が行われたのは、クロード・シャノンの『通信の数学的理論』(1948) においてですが、1960 年代末、イリヤ・プリゴジン＊の発見した「散逸構造」は「常に増大する情報のエントロピー＊」という傾向に反し、「熱力学的に平衡でない状態にある開放系構造」という現象を指摘・提唱しています。誤解を恐れずたとえるなら、「常に乱雑さが増し、秩序から無秩序へ老い行く生命の運命的な流れとは全く逆の力」が生命にはあり、自己組織化（エーリッヒ・ヤンツ）する事を示しています。この発見は次のオートポイエーシスの重要な基盤と捉えることができます。

1970 年代初め、チリの生物学者 H. マトゥラーナと F. バレーラが発見したオートポイエーシス＊（autopoiesis: 自己生産）という概念は、生物には自らを作り出す回帰的なシステムがあると述べています。このことは生命が機械とは異なり、「内側から」見る必要性がある大きな理由となります。

回すことをアフォードする蛇口
J. ギブソン (1904-1979)
static.wixstatic.com/

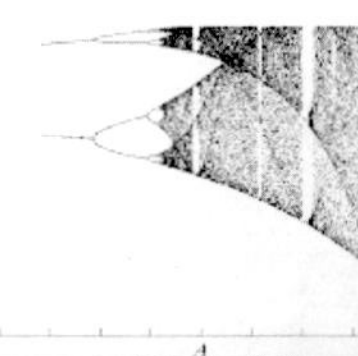

「カオス的散逸構造」 Auth:PAR
I. プリゴジン (1917-2003)
Wikimedia　Author:unknown

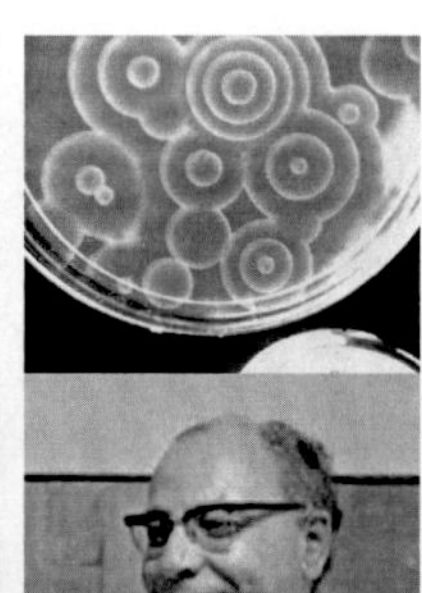

「自己組織化」
E. ヤンツ (1928-　)
leahmacvie.com/

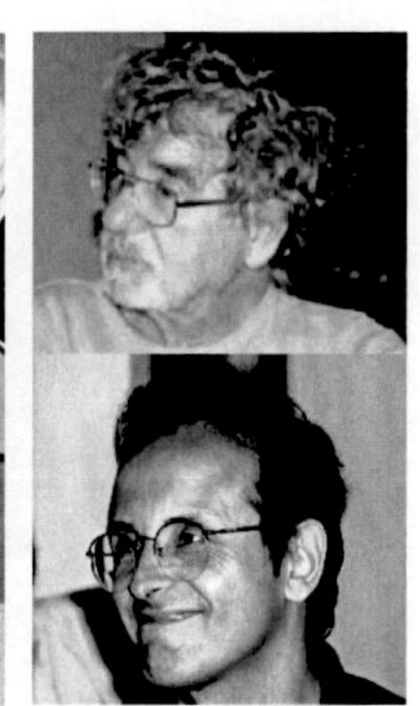

H. マトゥラーナ (1928-　) 上
F. バレーラ (1946-2001) 下
wikimedia Pillan assumed/Joan Halifax

動物も意識を持ち、学習し、コミュニケーションする

機械情報と人にとっての意味のある情報の違いについては述べたとおりですが、人工知能を考える際に、記号を用いて機械の演算に置き換えることのできる思考と、動物の思考（ヒトも動物の一種）の違いについて考える必要があります。

ここでは動物には他の個体との関係でものを考えることができることと言葉を扱える可能性があることを示しておきたいと思います。

賢馬ハンスは大勢の見物人の前で３たす４といった簡単な算数の正答を示すことができました。が、これは後に１つの誤謬であることが明るみに出ます。数を示すべく足を踏み鳴らし、次の足を踏み鳴らすまでの非常に短い時間の間に質問者である飼い主の表情を読んでいたということが分かったのです。しかし算数という演算はできなかったのですが、出題者の表情を読むという高度な一方向のコミュニケーション能力には驚異を覚えます。

社会的な情報伝達ではミツバチの飛行ダンスによる社会コミュニケーションが有名です。ミツバチは仲間に正確で詳細な蜜のありか情報を飛びながら舞う仕方で示すことができるのです。

賢馬ハンスが「計算」を披露しているところ (19世紀末頃)
source:Karl Krall, Denkende Tiere, Leipzig 1912, Tafel

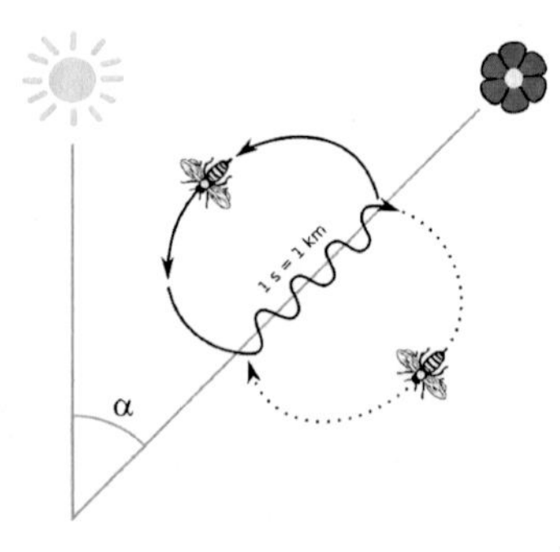

蜜蜂の８の字ダンス (1967年K. フリッシュによる観
Wikimedia Author:Jüppsche～commonswiki OWN WORK

動物 も意識を持ち、学習し、コミュニケーションする

サルは集団で生活する動物です。サルが「毛づくろい」という社会的コミュニケーションの時間が取れないとき発する音声は、他の成員に向けて発せられた言葉であると考えられます。サルのボスはこの言葉によって、集団の中で性的有利を勝ち取り、集団を統御する戦略を駆使していると言えるのです。

また、特定地域のハシボソガラスは道路を通行する車を使ってクルミの実を割って食べ、このことを他の仲間に知らせるという行動をします。道具を作り、協力する事が出来ることが示されたのです。

あるオウム（オウムのアレックス）は色名や幾つかの名詞、また抽象語、概念を理解し言葉を考えてしゃべることが観察されています。賢いサル「ボノボのカンジ君」の例でも言葉と文脈を理解することが報告されています。

これらの例から、動物には人間のように言葉を使い、抽象的な概念さえ抱き、それをコミュニケーションできること、また他の個体との関係で自己の行動を戦略的に考えたり、仲間の立場に立ってものを考える事ができるということが分かります。

これらはみな動物の発する情報が社会的であり、記号的でありうるということを示しています。機械情報などの側にあるのではなく、人間の、言語による情報のグループに属すると考えられるのです。動物には意識（心的システム）があり、ロボットの記号的推論とは異なるメカニズムを想定せざるを得ないコミュニケーションが行われているということになります。

※毛づくろい・・・英語でグルーミング。蚤取りという機能のみではなく、動物行動学で社会的役割が明らかにされた。哺乳類では非常に重要なもので、例えばサルでは序列の印や紛争の解決に寄与している。

サルの毛づくろい
ja.wikipedia.org/ grooming.theora.ogv.jpg

オウムのアレックス
OPi @ Toumoto pi.toumoto.net

ハシボソガラス
Wikimedia Photo:BS Thurner Hof

このように生命は「内側から歴史に沿って」見る必要があります。ゆえに、論理機械が「生命を模す」という命題は、原始生命から現在に至る歴史を辿るということ、人工生命の制作から始めて、現在のヒトへ至る歴史を機械によって再現するということになってしまい、強弁ととらえざるを得ないのです。

ところがコンピュータ科学者、M. ミンスキーはオートポイエーシスという概念の存在にもかかわらず、ヒトの心を「機械である」と言い切っています。これを裏打ちする反証の一つとして、彼が関わったニューラルネットワーク * プロジェクト「パーセプトロン *」があげられるのです。

第 1 次 AI ブームは 1956 年開かれたダートマス会議 * で J. マッカーシーが使った、「Artificial Intelligence」で始まり、推論と探索の時代と呼ばれます。

第 1 次 AI ブームの次に、1980 年代起こった第 2 次 AI、エキスパートシステムは既に述べたモデル & シミュレーションの延長上にあり、結果としては教師的に全ての知識を論理機械に教え込むことは現実上不可能と判断されました。日本においても数百億円の国家プロジェクトが成果を生むことなく消え去ったのです。

* パーセプトロン・・・（英：Perceptron）はニューラルネットワークの一種。心理学者・計算機科学者のフランク・ローゼンブラットが 1957 年に考案し、1958 年に論文を発表した。

* ダートマス会議・・・（英：Dartmouth Conference）は、人工知能という学術研究分野を確立した会議の通称である。1956 年 7 月から 8 月にかけてダートマス大の J. マッカーシーの声掛けで開催された。

ダートマス会議の面々 (1956)　scienceabc.com 提供
/medium.com/rla-academy/dartmouth-workshop-the-birthplace-of-ai-34c533afe992

第五世代コンピュータプロジェクトにて (1990 年頃)
https://cdn.mainichi.jp/vol1/2016/04/13/

論理か生命か　**深層学習**　が人工知能を前へ進める

第１次、第２次 AI ブームと異なり、2006 年ごろ始まる第３次 AI ブームでは、コンピュータによる自発的な機械学習を実現していると言えます。この要因として第１次、第２次の「記号的 AI」にはなかった、ニューラルネットワーク上の深層学習（ディープラーニング）の存在があげられます。

この学問分野の定義は、「通常なら人間が行う知的なタスク（仕事）を自動化する取り組み」といえます。
第３次 AI ブームの背景には「ビッグデータ（GAFA など世界的 IT 企業が獲得）と統計処理」に加え高速演算の実現と、さらなる高速化（量子コンピューティング）の予測があることを忘れることはできません。

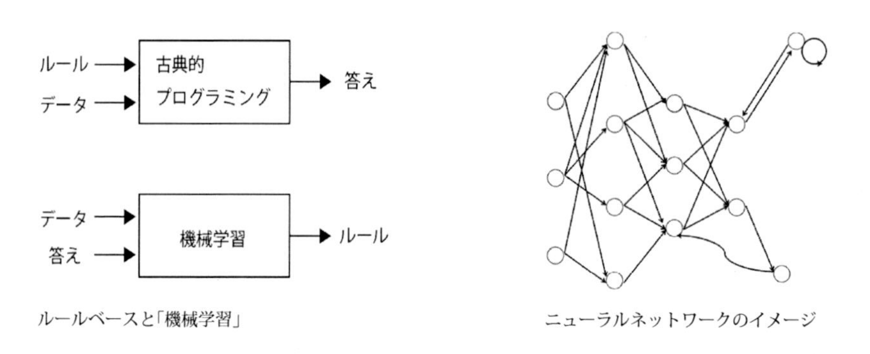

ルールベースと「機械学習」　　ニューラルネットワークのイメージ

ディープラーニングの原理

おぼろげな未来 **人工知能** の射程とシンギュラリティ

いままで見てきたように、開発当初からコンピュータ開発には「人工の知能」という考え方がその根底にはありました。

しかし論理を突き詰めても、私たちが考え、判断・行動するようなやり方との根本的な違いは埋まりませんでした。意識、記号接地問題、フレーム問題が立ちふさがっていたのです。

ただし、前章で述べたように、ニューロコンピューティング上の機械学習、深層学習によって「弱いAI（専用AI）」は私たちの生活で実用化が始まったと言っていいでしょう。

このことは20世紀の末には発想としては芽生えていたことで、実現の道のりには二つのブレイクスルーがあったのです。

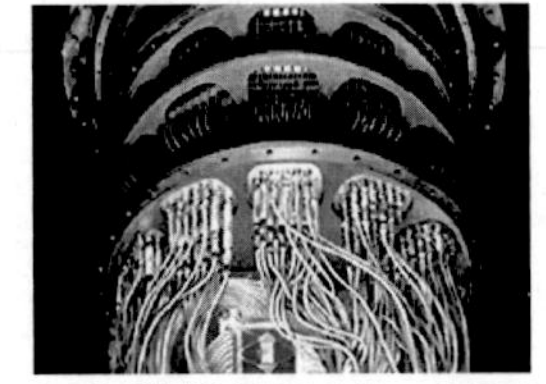
Googleが発表した量子コンピュータ（2019）

1つはコンピュータの速度です。1990年代約44MIPSであった汎用CPUの計算速度は2010年では14万MIPSへと予定通りの性能向上を果たします。さらに昨秋、グーグルはそれまで机上の存在と考えられていた量子プロセッサー「Sycamore」を発表しました。それまでのスパコンで1万年かかる計算を200秒で成したといいます。

いま1つは機械学習には必須の事例データの獲得です。GAFAと呼ばれるグローバルIT企業は世界中に莫大な数の顧客を抱え、そこから以前とは比べ物にならないほどの実証データが得られるようになったのです。これをビッグデータと呼んでいます。

これらを背景にすでに強いAIに向けて国際的な取組みは始まっています。

1000億個とも言われるヒトの神経細胞のコンピュータ実現をめざす、「コネクトーム」（プリンストン大 セバスチャン・スン）、化学反応レベルでの全脳シミュレーション計画「ヒューマン・ブレイン」（スイス連邦工科大 ヘンリーマークラム）、1400万個の人工ニューロン「TrueNorth」、IBM社のニューロモルフィックチップ計画「SyNAPSE」などです。これらはいずれも脳の再現プロジェクトですが、個人の脳の生理学的特徴の全てを、コンピュータへ再現しようという「マインドアプローディング」も構想されています。

R.カーツワイル（1948-）

レイ・カーツワイルもその実現を信じるうちの一人であり、収穫加速の法則に始まり、ヒトの知能の革命的な拡張、コンピュータのナノレベルへの超微細化など衝撃的な未来予測を行い、2045年、コンピュータの知的レベルが人類に追いつくというシンギュラリティ（技術的特異点）についても楽観的な考えを抱いています。

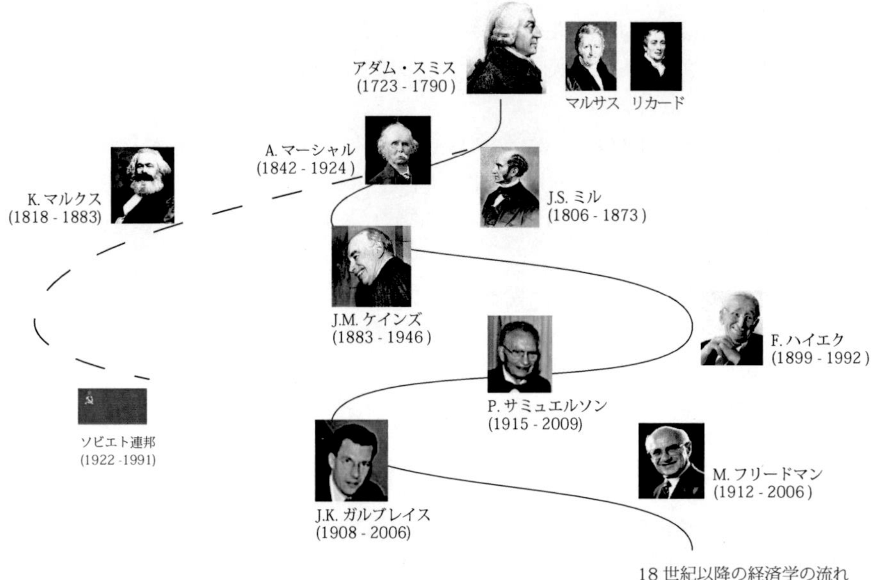

18世紀以降の経済学の流れ

カーツワイルのシンギュラリティ楽観論の是非はともかく、AIがひとの能力の代替に使われ、これが経済学でいわれる「技術的失業」につながるであろうという危惧は、今や公然と語られるようになりました。

現在までの経済学の大きな流れを振り返ると、2つの学派—1つはケインズに代表される介入型経済学であり、今1つはハイエクに代表される自由市場型経済学—
この2つの大きな経済学の流れに対して、情報技術は経済学におけるモデルの精緻化に寄与するかたちで関わって来ており、近年では経済そのものの加速に関わっています。

20世紀初頭、ロシアを皮切りに実験的に始まった社会主義は究極の政治形態とまで謳われながら、その原理に問題を抱えていました。計画経済とそれに必然的に関係する労働に対する評価の主観性という問題です。21世紀の到来を待つまでもなく、ベルリンの壁崩壊に続いて、史上初の社会主義ソビエト連邦は命脈が尽きました。

ところが計画経済の精緻化、また労働価値の客観化という問題はどちらもAIが得意とするミッションです。国際企業に生産財が独占されることによって格差は究極まで開き、雇用と消費の失われる時代、資本主義が断末魔の叫びを上げ、ベーシックインカムに代表される失業対策と一度は放り出された計画経済はまた頭をもたげているのです。

生物工学 は生命を創りかえるのか

C. ダーウィンに始まる革命的な生命誌の発見は 19 世紀を通じて驚異的な発見をもたらし、今日において生物多様性を大切にすることの思想的根城となっています。

1953 年 F. クリックと J. ワトソンによる DNA の発見によって、遺伝現象が特定物質による科学的過程であることが明らかにされました。以降、生物学は情報と深い関係を保ちながら発展し、ほぼ50年を経過した2001年にはヒトゲノムの解析が終了しました。

しかし、ゲノム配列にょって遺伝に関する情報は得られるものの、生物学的な意味は抽出が困難であることが広く認識されるようになってきました。以降はタンパク質間相互作用、細胞内コンポーネントのネットワークなど、複雑な生命現象を直接担い、生物学全体を研究対象とする「バイオインフォマティクス」へ視座が移ってきています。

一方、遺伝子を直接扱う技術は生命現象の解明にとどまらず、遺伝子を操作することによって直接生命の改良をめざす「遺伝子工学」の分野を特化させてきました。応用分野として「遺伝子組み換え作物」、「細菌・培養による薬効成分生産」、「遺伝子治療」の方向が具体的に動き始めました。

バイオテクノロジ、バイオインフォマティクス、遺伝子工学などを総称し生物工学と言っています。

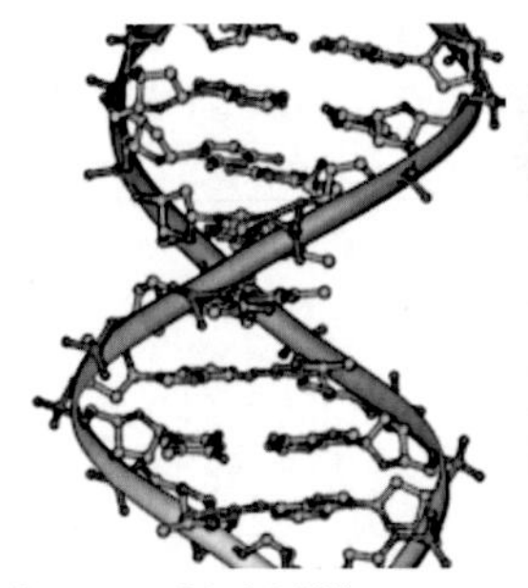
「DNA の二重らせん構造」
Wikimedia　Author:Michael Ströck

F. クリック (1916 - 2004)
doi.org/10.1371/journal.pbio.0020419

J. ワトソン (1928 -)
Wikimedia　Author:Steve Jurvetson

生物工学 は生命を創りかえるのか

1981 年 ES 細胞（胚性幹細胞）が樹立され 1996 年には世界初のクローン羊ドリーが誕生しました。この後 ES 技術はいろいろな動物に応用され、クローン作製の事例が継続的に報告されまています

2015 年にはヒト受精卵の遺伝子操作 * が中国で行われ、これに強い懸念を表明する各国関係者間に物議をかもしました。

ES 技術においては、一度発生させ、発生を開始した胚をばらばらにして、その細胞を培養し ES 細胞を作製するという倫理的な問題を孕んでいるのです。

胚性の幹細胞に操作を加えるクローン (特に人間のクローン) の作成について多くの宗教は批判的な見解を持っています。

2006 年京大山中伸弥教授グループによって iPS 細胞（人工多能性幹細胞）が作られました。iPS 細胞は、体細胞から直接初期化できるため、この問題を孕みません。

iPS 技術は、角膜再生や加齢黄斑変性治療、パーキンソン病等の神経性難病の治療、脊髄損傷の治療、各種臓器の培養、血小板細胞の生産など人体の様々な部位の治療に対して、応用が成功しました。現在も挑戦は続いています。

情報科学に視点を移すと、この分野研究の問題は、情報を創りだす主体である生物そのものの改変ということです。自己言及ならぬ自己改変がその本質なのです。

* 賀副教授は、遺伝子情報を人工的に組み換える「ゲノム編集」を行った人の受精卵を胎内に戻し、双子の女児が誕生したとしている。

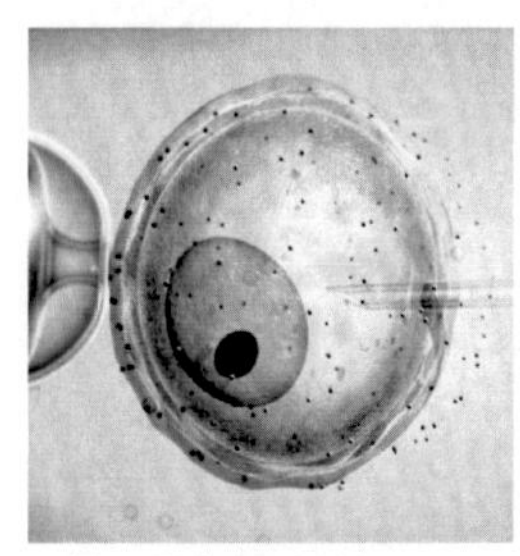

* 遺伝子操作のようす
The Guardian 紙　Photograph: Alamy

世界初のクローン羊
Wikimedia　Author: TimVickers

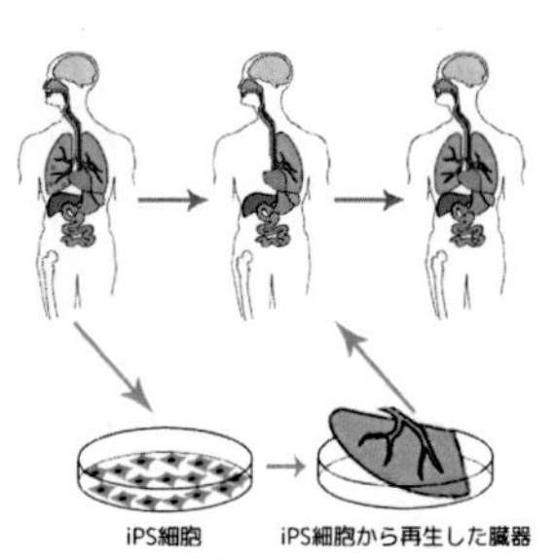

iPS（人工多能生性幹細胞）の応用
Wikimedia　Author:Calvero

ヴァーチャルリアリティは仮想現実と訳されます。コンピュータ内に三次元立体としての空間や人体を作り、両眼に相当する二つの視点を設定し、コンピュータ演算能力を活用してリアルタイムな透視図を描きだすことによって、仮想的な現実を創りだす技術がその中核にあります。

ここでvirtualとは「仮想」というより、「実質上の」という方がもとの意味に近く、「実質現実」が直訳としては正しいということになります。「リアルな世界から抽出した実質的な要素で構成されている・・・」と捉えられるのです。

ひとの頭と眼球の動きを測定し、仮想空間内において、視点・視方向をリアルタイムに反映し、得られる画像をリアルタイムにフィードバックさせることによって、空間との関係を現実のものに近くすることができます。

これらのことによって、現実にはない空間の体験、遠方の空間に存在する感覚（テレプレゼンス）を得ることも可能になります。

応用分野として、住宅その他の空間設計への評価が考えられます。

また仮想空間を使った訓練・シミュレーション、ゲーム分野への応用、遠隔地を体験できる観光分野が考えられ、一部は現実に応用が進んでいます

これに対して、現実の画像を活用し、その上に仮想の空間画像を重ねることによって、現実空間と関連のある情報をユーザーに提供するのが強調現実 (Augmented Reality) です。

仮想空間と現実空間の重ね合わせは、実空間上の特徴的な立体などを基準とした「マーカ」と呼ばれる原点とAR上の原点、また両者の3直行軸によって行います。

この原理から、現実空間への注釈など付加的な情報、現実空間や物体への新たな立体要素の付加が行えます。応用分野としては現実空間での製品、建築シミュレーション、機器や道具の取扱あるいはメンテナンス説明、現実空間との対話性を付加した機器の操作インタフェース、観光分野での古刹等への注釈、経路案内などです。

またヴァーチャルリアリティと強調現実を掛け合わせた複合現実 (Mixed Reality) は現実空間と仮想空間を混合し現実のモノと仮想のモノとがリアルタイムで影響しあう新たな空間を構築する技術を指します。

VRがHMD（ヘッドマウントディスプレイ）などのディバイスの中だけで完結する技術で、「閉鎖系」であるのに比べて、ARは現実との関係で発生する情報を扱う「開放系」です。VRがコンテンツ系、アミューズメント志向であるのに比して、ARは観光系・製品系いずれの分野でも、逍遥や機能の利用といった文脈に沿った活用となりやすいのです。

VRは既に3Dゲームとしてすでに皆さんの間でお馴染なのですが、入出力で体感的なもの、没入的なものは装置が大掛かりになるので、ゲームセンターやコンプレックス空間での体験となることが多いのです。

ARは観光や体験など、実際のイベントがあって、そこで登場する自然、建築物、物品や機器との関係で情報が発生します。ですから目的とする情報は具体的であり、その場所を歩きまわったり、手で触れたりということとの関係が大切です。

バーチャルリアリティは視覚を通して脳内に仮想の現実を創り出します。そのためにVR体験者は現実の空間感、重力感との関係が切れてしまいます。このことは前述のアフォーダンスを多少なりとも損ねてしまうことになります。長時間の使用が前提となる企画や短時間であっても長期間にわたっての継続的な使用については十分な注意が必要です。その他にも精神神経系に対して、現時点で不明な危険が潜在している可能性があります。

ARは他の現実対象との関係で発生する情報ですから、被害の程度は軽微と考えられます。観光目的などにおいては屋外使用が前提となりますので、交通事故などの危険をいかに避けることができるかということは、継続的な課題となっています。

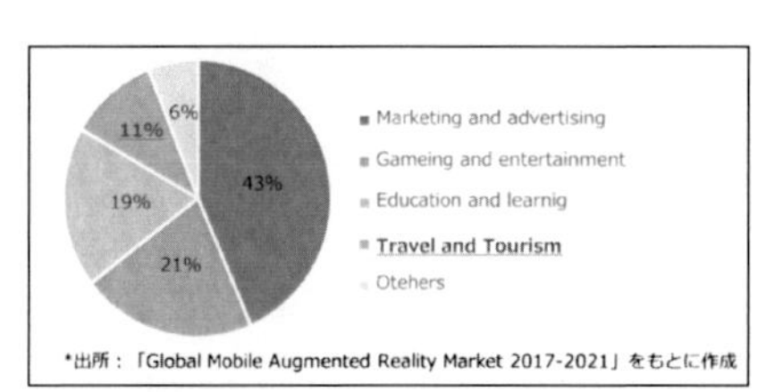

2016年ARコンテンツの産業別の内訳　「観光」は11%
国土交通省観光庁　観光資源課　mlit.go.jp/

ARコンテンツの市場規模・ポテンシャル（2016年〜）
国土交通省観光庁　観光資源課　mlit.go.jp/

参考文献

ヒトは太古から
マーシャル・マクルーハン『グーテンベルクの銀河系』、高儀進 訳、1968年
山口裕之『インターネット講座／メディア・情報・身体—マクルーハン(1998)』
田村紀雄『情報の道具学』、KDDIクリエイティブ、1991年
ロバート・P・クリース『世界で最も美しい10の科学実験』、青木薫 訳、日経BP社、2006年
山本義隆『重力と磁力の発見（古代）』、みすず書房、2003年
アイザック・ニュートン『自然哲学の数学的諸原理』、中野猿人 訳、講談社、1977年
ジャレド・ダイヤモンド『銃・病原菌・鉄』、倉骨彰 訳、草思社、2012年
片山正人『暦の科学』、ベレ出版、2012年
高橋玉樹『GPSフィールド活用ガイド』、山と渓谷社、2006年

コンピュータは
川添愛『コンピュータどうやって作ったんですか？』、東京書籍、2018年

さらにコンピュータは
田中一『情報とは何か』、新日本出版社、1994年
東京学芸大学編『Beautiful Moon Wiki 小学校教員のためのプログラミング入門』
http://wiki.bmoon.jp/wiki.cgi/Programming?

コンピュータの
西垣通『ビッグデータと人工知能』、中公新書、2016年
ロン・ホワイト『コンピュータ&テクノロジー解体新書』、SBクリエイティブ、2015年
日経ビジネス編『まるわかりインダストリー4.0—第四次産業革命』日経BP社、2015年
トマ・ピケティ『21世紀の資本』、山形浩生 他訳、みすず書房、2014年
井上智洋『人工知能と経済の未来』、文春新書、2016年
日経BP編『日経テクノロジー展望—世界を変える100の技術』、2016年
渡辺好章『知的クラスター　ネオカデン研究』、2006年
井上智洋『純粋機械化経済』、日本経済新聞出版、2019年

ヒトを中心に
ユヴァル・ノア・ハラリ『サピエンス全史』、河出書房新社、2016年
ルチアーノ・フロリディ『第四の革命—情報圏が現実を作りかえる』、新曜社、2017年
ジェンス・ラスムセン『インターフェイスの認知工学』、海保弘之 訳、啓学出版、1990年
渕一博『認知科学への招待』,日本放送出版協会、1984年
田村博『ヒューマン・インタフェース』、オーム社、1998年
ドン・ノーマン『誰のためのデザイン？』、野島久雄 訳、新曜社、1990年
波頭亮『論理的思考のコアスキル』、ミュラーリュアーの錯視図、筑摩新書、2019年
シーモア・パパート『マインドストーム』、奥村喜世子 訳、未来社、1982年

論理か・生命か
西垣通『こころの情報科学』、ちくま新書、1999年
ルートヴィヒ・ヴィトゲンシュタイン『論理哲学論考』、坂井秀寿・藤本隆司 訳、法政大学出版局、1968年
池田善昭『モナドロジーを読む』、世界思想社、1990年
『ゼロからわかる人工知能』、ニュートン別冊、2018年
コンラッド・ローレンツ『攻撃―悪の自然史』、日高敏隆、久保和彦 訳、1970年
ノバート・ウィナー『科学と神』、鎮目恭夫 訳、悠山社書店 1965年
佐藤雅彦『野本和幸－フレーゲ哲学の全貌－を読む』
https://www.jstage.jst.go.jp/article/jpssj/49/1/49_67/_pdf
フランソワ・ショレ、J.J.アレール『RとKerasによるDeep Learning』、瀬戸山雅人 監訳、長尾高弘 訳、オライリー・ジャパン、2018年

おぼろげな未来
クリストファー・ノーセル『弱いAIのデザイン』武舎広幸・武舎るみ 訳、BNN新社、2017年
バイロン・リース『人類の歴史とAIの未来』、古谷美央訳、ﾃﾞｨｽｶｳﾞｧｰﾄｩｴﾝﾃｨﾜﾝ、2019年
ジェイムズ・バラット『人工知能―人類最悪にして最後の発明』、水谷敦訳、ﾀﾞｲﾔﾓﾝﾄﾞ社、2018年
宮津大輔『アート×テクノロジーの時代』、光文社新書、2017年
徳岡正肇『ゲームの今』、SBクリエイティブ、2015年
日経ｺﾐｭﾆｹｰｼｮﾝ編『ARのすべてケータイとネットを変える拡張現実』、日経BP社、2009年

著者略歴

木田 豊（きだゆたか）
京都工芸繊維大学 意匠工芸学科卒業
㈱GK京都 にて工業デザイン、
㈱GKデザイン機構、㈱GKテックにて
情報デザインに携わる。
嵯峨美術大学デザイン学科教授、
ゲーム学会理事、
ヒューマンインタフェース学会会員、
アトリエForma主宰。

論理か生命か
情報科学

2020年3月20日初版第一刷発行

著　者　木田 豊

発行所　ブイツーソリューション
〒466-0848 名古屋市昭和区長戸町4-40
電話 052-799-7391　FAX 052-799-7984

発売元　星雲社（共同出版社・流通責任出版社）
〒112-0005 東京都文京区水道1-3-30
電話 03-3868-3275　FAX 03-3868-6588

印刷所　株式会社　太洋堂

ISBN978-4-434-27359-9 落丁本はお取り替えします。